OS CANIBAIS DA RUA DO ARVOREDO

Os canibais da Rua do Arvoredo

Copyright © 2023 by Tailor Diniz

1ª edição: Dezembro 2023

Direitos reservados desta edição: CDG Edições e Publicações

O conteúdo desta obra é de total responsabilidade do autor
e não reflete necessariamente a opinião da editora.

Autor:
Tailor Diniz

Preparação:
Gabriel Silva

Revisão:
Jacob Paes
Iracy Borges

Projeto gráfico e diagramação:
Vitor Donofrio (Paladra Editorial)

Capa:
Rafael Brum

DADOS INTERNACIONAIS DE CATALOGAÇÃO NA PUBLICAÇÃO (CIP)

Diniz, Tailor
 Os canibais da Rua do Arvoredo / Tailor Diniz.
— Porto Alegre : Citadel, 2023.
 208 p.

ISBN 978-65-5047-278-8

1. Ficção brasileira 2. Horror I. Título

23-6438 CDD B869.3

Angélica Ilacqua - Bibliotecária - CRB-8/7057

Produção editorial e distribuição:

contato@citadel.com.br
www.citadel.com.br

TAILOR DINIZ

OS CANIBAIS DA RUA DO ARVOREDO

LUCENS
EDITORIAL

2023

Diziam imediatamente para eles calarem a boca,
enquanto agora eles têm o mesmo direito
à fala que um ganhador do Prêmio Nobel.
(UMBERTO ECO)

1

José está deitado do lado esquerdo da cama e lê um livro de culinária. Catarina revira-se embaixo dos lençóis, simula uma tosse para chamar sua atenção, mas ele continua alheio a todo e qualquer movimento no entorno.

Ela está irritada, e a irritação parece aumentar com a inutilidade da terceira tentativa de chamar a atenção dele. A cena não vai parar aí. Promete boas emoções, tenho certeza, a experiência me diz. Basta ter paciência para esperar.

Aliás, a paciência e a perseverança são a alma do *voyeur*. (Alguém já disse isso? Se disse, a mim pouco importa. Caiu na rede, é meu.)

Meu nome é Zìnìdt Otten, sou filho do globalismo e não tenho nacionalidade. Sempre fui um *voyeur* convicto, nunca neguei e não vou negar agora. Os que quiserem me acompanhar, que me acompanhem. Sigam-me e os farei felizes. Pelo menos até o próximo clique.

Sou um fiel soldado da Nuvem Superior Eterna – NUSE –, nasci para fazer o mal e no mal sustento as minhas forças. A tarefa que me cabe neste latifúndio virtual de dominação planetária é infernizar a vida de homens de bem, transformar personalidades, criar caos no seio das famílias, desfazer e trocar identidades. Altero contas bancárias, invado computadores e propriedades privadas, manipulo mentes, de maneira que, num futuro breve, o planeta seja um único país de criaturas dominadas, subservientes, sob o jugo da ideologia globalista.

Resumo 1: sou um retrato em alta definição, fiel, prático e substantivo daquilo que dizem que eu sou, sem hipocrisia ou regateios.

Resumo 2: sou um exemplo acadêmico finalizado, uma tese ambulante de que nem tudo o que espalham os malucos das redes, que outrora foram os malucos de palestra, é uma mera teoria da conspiração. Os malucos às vezes têm razão, e eu sou um exemplo carimbado dessa premissa verdadeira. A razão está sempre comigo, e assunto encerrado.

───

Neste mundo, só tem uma coisa que nunca fiz, não faço e jamais farei: mentir. Juro pela alma de Santo Sorkos, O Poderoso Rei das Supremas Trevas Profundas Inabitáveis.

Como sou eficiente nas minhas obrigações, cumpro minha meta diária rapidamente e o tempo de sobra uso para me divertir. Ou seja: fico bisbilhotando a vida alheia, sem compromisso com a formatação ideológica de mentes. Ligo o RESIHUC – Receptor de Sinais de Humanos Chipados – e em segundos meu HiperApp interpreta os códigos recebidos e tenho no meu monitor o planeta inteiro para me proporcionar diversão.

Escolho uma ou duas pessoas, ou um núcleo familiar, social ou empresarial, e passo a seguir seus passos para ver no que vai dar. Tudo com percentual zero de interferência minha. Apenas deixo o barco correr ao léu, ao natural. Quase sempre acaba em algo especial e curioso. O ser humano e sua mente são, ao mesmo tempo, o autor, o ator e o palco. Não pensem que isso é uma sacada minha. Alguém já disse. Talvez Shakespeare, talvez Chaucer, talvez Borges. Mas se eles bobearem, tomo posse e adeus, querida! Serei um grileiro de ideias devolutas!

Hoje, por exemplo, escolhi ao léu um casal de jovens bonitos, com aparência de bem-sucedidos, nos quais foram implantados chips/antenas via vacina anticovid, mas que, pelo visto, começam a enfrentar um problema característico dos novos tempos: o fastio no sexo e no casamento, ainda que jovens, belos e atraentes.

Os sinais de som e imagens emitidos por eles estavam perfeitos, e pude flagrá-los deitados, na cama de casal, em situação de curioso antagonismo. O quarto é iluminado por uma lâmpada de cabeceira, dentro de um pequeno abajur, por onde a luz é filtrada e se transforma num sugestivo tom âmbar avermelhado. Ambos se cobrem com um lençol até a altura do peito, e é sobre o branco do pano que a luz se alarga e se multiplica para o resto do ambiente.

José está concentrado na leitura de um livro, *A arte da cozinha vegana*.

Catarina, com cara de desgosto, de uma irritação prestes a explodir, mantém o olhar fixo na parede em frente, sem disfarçar o desagrado.

José vira uma página. Posso ouvir daqui o barulho seco do papel sendo manuseado com displicência. E retoma a leitura.

Nesse momento, como se o som do papel a irritasse, Catarina joga os lençóis para os pés e se levanta. Está nua. A luz ambarina do ambiente destaca, na textura fresca de sua pele, as marcas que o sol do verão recente lhe deixou sob o biquíni. Caminha até a porta do roupeiro e para, ali há um espelho de fora a fora. Olha para o próprio corpo, dos pés à cabeça, de baixo para cima. Aproxima o rosto, mira-se de lado, de frente, curva-se, observa-se de perto, no detalhe. Mexe o pescoço para os lados, pressiona a ponta dos dedos sobre o cacheado dos cabelos castanhos.

Ao mesmo tempo, José continua a leitura, como se ali nenhum apelo houvesse ou fosse capaz de lhe desviar a atenção. Comporta-se como se a nudez dela tivesse importância zero, sob aquele ambiente acalorado de luzes e reflexos aleatórios. Sua preocupação é com a leitura do livro. A impressão é de que está amarrado a uma circunstância urgente, que não pode ser postergada em hipótese alguma, sob pena de perder uma oportunidade de especial valor, monetário e afetivo ao mesmo tempo.

Súbito, Catarina se vira, fica de frente para ele, olha-o com irritação.

Dá um passo na direção da cama.

José continua impassível. Ignora todo e qualquer movimento.

– Sabe de uma coisa, José? – ela diz e espera um pouco. – Nosso casamento acabou. A-ca-bou!

O tom de voz dela é alto. Se alguém estivesse passando na rua àquela hora, certamente teria ouvido, do outro lado da janela.

Ele levanta a cabeça, ar de interrogação, com o livro ainda aberto. Parece uma criança acordando no meio da noite, no escuro, sem saber onde está.

– Como assim, amor?

– Amor o caralho!

Ela está indignada. Aliás, indignadíssima, e não disfarça. Faz questão de que ele a veja assim, explosivamente perigosa, e até que a tema por isso. Passa as mãos espalmadas na nudez dos quadris.

E quase grita:

– Como assim, você ainda pergunta? Como assim é que acabou! Virou cinzas, o nosso amor. Se é que um dia existiu.

O tom de voz dela o assusta um pouco.

José fecha o livro, mas com cuidado para não desmarcar o lugar onde parou. Fica com o indicador entre as páginas. Esboça um sorriso de surpresa, ou de curiosidade.

– Não estou entendendo. O que é isso agora, amor?

Ela contorna a cama e se joga embaixo do lençol. Puxa-o até o queixo. Faz um gesto de criança mimada, que ele não percebe por estar olhando para o livro que ainda segura na mão, sem saber o que fazer com o exemplar.

– Você não me deseja mais – ela diz.

Ele se vira. Agora larga o livro sobre a mesa de cabeceira.

– Amor! O que é isso? Ainda ontem a gente...

Ela coloca a mão espalmada sobre o rosto dele, para interrompê-lo.

– Não é mais a mesma coisa, José Carlos.

Ela suspira. Parece que vai chorar.

E continua:

– Em outros tempos, você não me deixava ficar três segundos pelada na tua frente que vinha correndo para me atacar com fúria. Agora, nem que eu esfregue a mandrugina na tua cara, nem assim você se anima.

Eu não contive um acesso de riso. É sério, já vi e ouvi de tudo neste mundo sem limites para os apelidos e as alcunhas, mas "mandrugina" é coisa inédita para os meus ouvidos bandidos, que nunca foram moucos.

José também ri. Acho que pensou a mesma coisa que eu. "Mandrugina" é pra derrubar o bandido do touro mecânico no primeiro tranco.

José senta-se na beira da cama, de costas para ela. Esfrega as mãos na cabeça.

– Cata, meu amor. Veja bem... – Ele estica o braço, enviesa um pouco o corpo e toca a palma da mão na capa do livro. – Estamos em final de semestre, a mudança e a arrumação da casa nova atrasaram as coisas na faculdade, a gente tem que recuperar o tempo perdido. Tenho provas a semana toda...

Ela levanta-se num pulo, carrega o lençol enrolado junto ao corpo. É uma imagem que, justiça seja feita, fica muito bonita, ao lado da cama desfeita, por onde escorre a luminosidade de uma alcova arrabaleira, num ambiente onde a predominância de cores, que lembram as nuanças da paleta de Toulouse-Lautrec, sugerem pecados imensos, dos mais graves aos mais imperdoáveis.

Ela se volta para ele, e sua irritação não se disfarça. Pelo contrário, avança igual um vendaval assim que as primeiras nuvens escuras de chuva e de vento se deslocam a partir do horizonte fechado.

– Tempo perdido o caralho! – Ela bate o pé descalço no chão. – Eu também tenho faculdade, também estou com as minhas coisas atrasadas, mas nem por isso me falta tesão. Eu continuo viva! Viva! Muito viva!

Abre a porta do quarto e para, meio corpo para dentro, meio corpo para fora.

E diz:

– Pois fique sabendo de uma coisa, para depois você não dizer que não avisei: a fila anda, José Carlos! Se não quiser mais, tem quem quer.

Deixa cair o lençol e passa as mãos na pulsação dos seios marcados de sol.

– Não estou tão caída assim para você ficar nessa pasmaceira toda. Parece um mendigo de porta de igreja, que nem para satisfazer a própria mulher se presta.

Dizendo isso, sai e bate a porta.

José arruma o livro na cabeceira da cama e caminha até a saída, atrás dela. Agora, sim, parece preocupado. Conhece Catarina, e sabe que para os problemas relacionados ao sexo e à autoestima as soluções são demoradas e tensas, muito tensas, mesmo as aparentemente mais fáceis de serem contornadas. Ela espicha a corda até o limite, para ficar, no mínimo, sempre com a última palavra.

2

A mesa do café da manhã está posta. A propósito, bom gosto e despojamento parecem uma lei pétrea na vida do casal. Mesmo com os atritos revelados na noite anterior, não se descuidam dos aspectos estéticos do cotidiano. Sobre uma toalha colorida de tecido cru, há uma jarra de suco, pães, geleias, canecas com motivos florais e um fumegante bule esmaltado de café.

Catarina senta-se na cabeceira, seu olhar trespassa sem obstáculos a linha visual da janela aberta. Nem é preciso afinar a sintonia do RESIHUC para entrar em sua mente e perceber que seu estado de espírito não mudou desde a noite anterior.

Com José a situação parece diferente. Bem disposto, vibrante, cabelos molhados, jeito de atleta, prepara alguma coisa em uma frigideira sobre o fogão. Parece seguro de que os problemas entre ambos serão superados sem mais estresse, ou que nem mesmo existem ou foram esquecidos. Vira-se, pega o prato dela e a serve daquilo que está preparando.

E diz:

– Uma tapioca das que você gosta. Com frutas e coco ralado.

Ela se mantém na mesma posição, com uma expressão de quem desdenha da cortesia dele.

– Pode ir comendo enquanto eu faço a minha – diz ele, se reaproximando do fogão.

Catarina pega os talheres e corta um pedaço de tapioca. Passa geleia em cima e serve-se de suco. Olha através da janela, por onde entra filtrada a luz da manhã nascente. Se a cena estivesse sendo gravada, um publicitário não teria dificuldade em transformar aquilo em um aconchegante comercial de produtos matinais.

– Quero aproveitar que não tenho aula hoje à tarde e vou fazer um canteiro de flores, ao lado da casa – diz ela.

Ele se volta para a mulher, o entusiasmo contrastando com o enfado dela.

– Você não vai acreditar – ele diz. – Quando olhamos a casa a primeira vez, foi logo o que imaginei. Que você ia plantar flores aqui.

Ela toma um gole de suco, leva um pedaço de tapioca à boca e mastiga.

– Vou comprar ferramentas... algumas mudas e sementes... e começar hoje mesmo. Aqui perto tem uma floricultura.

José termina de fazer a segunda tapioca e vai para a mesa servir seu prato.

Catarina continua falando, mas sem olhar para ele.

– Preciso queimar energias com alguma coisa.

Ele olha para ela, que desvia o olhar para a janela aberta. O chilro dos pássaros nas árvores do quintal é o mínimo de som a quebrar o silêncio da casa, estabelecido após a fala dela.

Tomam o café, ambos quietos. O barulho dos talheres se repete e se propaga no ambiente até que Catarina se levanta e caminha em direção ao quarto do casal. José ainda mastiga um último pedaço de tapioca com geleia. Depois, se ergue, arruma as cadeiras junto à mesa e vai lavar a louça.

Está guardando a última caneca no armário quando Catarina passa às suas costas, já vestida, para sair à rua. Usa os cabelos soltos, uma regata bege, calça jeans rasgada e tênis vermelhos. José se vira e tem a rápida impressão de que uma sombra, na parede, a acompanha enquanto ela caminha para fora.

A sombra de Catarina se desfaz enquanto ela desaparece além da porta. Mas a outra fica, estática, como se estivesse em dúvida entre acompanhar Catarina ou ficar ali, observando José terminar a limpeza da louça. Aquilo causa nele um certo desconforto. Olha fixo na direção da sombra, e ela desaparece de forma brusca. A impressão é de que foi desligada por meio de um controle remoto na mão de outra pessoa, escondida em algum lugar obscuro da casa.

***

Acomodo-me na poltrona e começo a me entusiasmar. Encho de ar os pulmões, satisfeito com a panorâmica vista daqui do meu canto tecnológico. E pressinto, pela minha experiência, que vem coisa boa por aí, é só ter paciência para esperar.

Confiro os sinais emitidos pelos chips/antenas de ambos – e está tudo em ordem, som e imagens perfeitos. Deixo o monitor ligado e vou trabalhar. Ainda preciso transformar 453 cidadãos de bem em globalistas/comunistas convictos e subalternos. Só assim poderei dar por cumprida minha meta diária aqui na Organização NUSE.

3

Enquanto trabalhava duro, com o canto do olho eu ia observando o movimento dos meus amigos personagens, lá embaixo.

Em uma loja de ferragens, vejo Catarina escolhendo ferramentas de jardinagem, mudas de flores, sementes, terra e adubo. Me impressiona a gentileza exagerada com que ela é atendida, algo beirando o assédio, se analisarmos a fundo a cena toda. Mas ela não se impressiona. Observando a distância, não daria para dizer que gosta. Mas se diverte com o comportamento dos homens, que quase se jogam a seus pés em sinal de admiração, na esperança de algum retorno, um sorriso ao menos, para lhes satisfazer momentaneamente o ego desmerecido.

Trabalho mais um pouco e me viro para o monitor: Catarina caminha na calçada, seguida por um dos atendentes da floricultura, que carrega a parte mais pesada das compras.

Ela abre o portão e faz sinal para ele entrar. Depositam o material ao lado da casa, ela lhe entrega uma nota de dez reais e

OS CANIBAIS DA RUA DO ARVOREDO

agradece. Ele olha para o dinheiro, pensa alguma coisa que, se eu quisesse saber, saberia, pois vejo que ele é um vacinado e, portanto, chipado, mas o seu pensamento não me interessa. Não vou perder tempo com isso. Ele agradece, desapontado, e sai pelo portão por onde entrou. Não sem antes olhá-la pelas costas, a calça jeans a lhe desenhar com justa competência o contorno das nádegas.

Mergulho mais um pouco no meu trabalho de manipulação de mentes e, quando me dou conta, a tarde avançou bastante.

Catarina está cavando o chão com uma pá, do lado de fora da casa, junto à parede. Prepara o canteiro para plantar flores.

Usa uma regata laranja e um short curto e justo. Quando se abaixa, posso ver a volta de suas nádegas, e não dá para negar que seja uma imagem bonita, que aumenta meu interesse pelo desfecho daquela história recém-começada.

Ao continuar cavando, ela percebe que, em certa altura, a estrutura da casa fica diferente. O material empregado não é o mesmo das paredes, feitas de tijolos. São pedras grandes, típicas de residências com porão, para adega e despensa.

Tira um pouco de terra com as mãos, cava mais um pouco e as pedras começam a se suceder.

Ela vai até a janela e chama José.

– Sim, amor! – ele grita.

– Vem cá, vou te mostrar uma coisa.

Ela volta para onde estava.

Começa a anoitecer.

Dou meu expediente por encerrado quando uma luz do monitor avisa que minha missão acaba de ser cumprida naquele dia: mil cidadãos de bem transformados em comunistas/globalistas, manipulados via chip vacinal. Esses estarão para sempre sob o controle da NUSE. Desligo o monitor de trabalho e vou para o terminal do RESIHUC me divertir, como todo bom humano que se preza e merece após um dia estafante de trabalho.

Por hoje, posso acompanhar a história de perto, sem perder detalhes.

José aparece às costas de Catarina.

– O que houve? – ele diz.

Ela mostra ao marido as pedras descobertas sob as paredes da casa.

– Olha isso.

José se aproxima.

– Parece que aproveitaram o alicerce de uma casa antiga. E ergueram a outra em cima.

Catarina está eufórica com a descoberta. Seu peito arfa por baixo da camiseta apertada.

– Acho que tem um porão embaixo.

Ele concorda com a cabeça.

– Provavelmente.

– Eu vou cavar até o fim.

José se agita e toma a frente dela.

– Você está louca. Isso vai dar um trabalho medonho.

Ela o encara. A expressão de seu rosto lembra a discussão da noite anterior, quando reclamou que ele não a desejava mais. Ou é até mais belicosa. Tem um frenesi que ele acha fora de propósito.

– Não te mete! – ela grita.

– Então eu vou ajudar – ele diz, pegando uma pá.

Começa a cavar e a retirar terra para um lado. Catarina o ajuda com as mãos.

Não demora e aparece algo que chama ainda mais a atenção deles. Pelas características, é a ponta do marco de uma porta.

Catarina se aproxima para ver melhor.

– Acho que a entrada era por aí.

José está exausto. Para de repente, como se lembrasse de algo importante.

– Cata, isso aqui é trabalho para uma retroescavadeira. Não tem como ir adiante.

Mas Catarina não se convence. Parece possuída pela ideia de que nada mais importante existe naquele momento do que seguir em frente na sua intuição de descoberta.

– Deixa que eu cavo um pouco – diz, irônica. – Você anda muito sem forças ultimamente, José Carlos...

A noite começa a cair.

José segura o braço dela.

E diz:

– Espera! Vamos pensar com lógica. Se é um porão, uma adega, ou coisa parecida, deve ter uma entrada por dentro. Pelo assoalho.

Catarina sorri pela primeira vez desde o início da escavação.

– Caramba, Zezinho! E o assolho, lá dentro, é o original. Tabuão de madeira. Foi do que mais gostei quando vimos a casa.

Dão-se as mãos e correm para dentro. A aparência deles muda de súbito. Parecem dois namorados que saltitam sobre a relva do parque, felizes e satisfeitos com a existência de um na vida do outro.

4

Empurram móveis, verificam o assoalho, rodapés, os detalhes na junção dos tabuões, mas não encontram qualquer sinal de entrada para o subsolo. Repetem a vistoria, cômodo por cômodo, e se dão por vencidos. Não há mais nada a fazer.

Decepcionados, mergulham em uma atmosfera de inesperado desânimo e irritação. Jogam-se no sofá. Catarina volta ao estado anterior de desalento em relação a José. As caras são de dois lutadores vencidos por um adversário que, de antemão, admitiam ser mais forte que eles.

Catarina para de repente. Seu rosto recebe um facho de luz imaginária que a ilumina com um sorriso alinhado de dentes brancos. Súbito, ela se transforma. Parece novamente outra pessoa, diferente daquela de segundos atrás e das cenas anteriores, quando reclamava do fastio do marido na cama de casal.

Mas uma sombra passa sobre seu rosto, o bater de asas de um pássaro preto – e mesmo assim ela sorri, sem se dar conta de que algo de anunciado agouro por ali se interpôs. Apenas José percebe algo sobrenatural, mas o entusiasmo dela é tanto que ele logo se esquece da sensação de medo causada pelo movimento da sombra sobre o rosto da esposa.

– Espera! – ela diz. – Aquele quartinho dos fundos. Sem janelas. Que a gente ainda não achou o que fazer com ele!

José também exulta com a lembrança. Correm para lá. No centro há um pesado tapete de lã crua, velho e encardido. Com dificuldade, eles o puxam para o lado. Um novo sorriso se ilumina no rosto de Catarina e a transforma num humano de perfil renovado. Esse estado fica visível na fina superfície de sua pele, no latejar dos seios por baixo da camiseta, na forma como passa a se expressar e a se movimentar naquele espaço tão exíguo. Não há qualquer dúvida de que algo novo começa a nascer na casa, entre os dois, com a força suprema de um deus olímpico carregado de fortes energias.

– Achamos! – ela grita.

José nunca a viu tão empolgada e vibrante. Parece outra pessoa. Mas fica feliz. Afinal, a felicidade dela sempre foi a felicidade dele, costuma dizer.

Agacha-se e fica examinando as extremidades da portinhola de madeira que fecha a entrada do porão. Enquanto isso, Catarina caminha em volta dele, aos pulos e excitada.

Vendo que ele encontra dificuldade para abri-la, corre para fora e volta com a pá usada para fazer o canteiro de flores. Faz aquilo como quem lambe um sorvete de casquinha na lanchonete da esquina e espera a hora de se divertir com os coleguinhas na pracinha de brinquedos. Enfia a ponta da pá no vão entre o assoalho e o tampo. José a ajuda. Fazem força. A portinhola começa a ceder.

Ela bate palmas.

Catarina está suada, a camiseta lhe cola ao corpo, destacando o volume latejante dos seios.

Desligo todos os equipamentos à minha volta. Quero foco total em Catarina e José. Corro até a geladeira e pego uma lata de cerveja. Está bem gelada, e sinto que desce suave, ao natural, bem como o capiroto gosta.

Retorno ao RESIHUC. Vejo dois fachos de luz sobre uma escada íngreme, de madeira. Aparecem os pés de Catarina, descendo os degraus. Atrás vem José. Eles iluminam o cenário com as respectivas lanternas dos telefones, fazem movimentos que projetam no ambiente vários formatos de sombras. Sombras que poderiam assustá-los em situação diferente, mas que agora lhes passam despercebidas devido à emoção da descoberta.

As paredes que aparecem ao fundo, atrás deles, são feitas de grandes pedras escuras, com rejuntes acinzentados. São as mesmas pedras vistas do lado de fora, na escavação.

Descem as escadas exultantes. Eu aciono alguns comandos do RESIHUC e reposiciono meu equipamento para ver a cena sob o ponto de vista dos dois. Os fachos de luz de suas respectivas lanternas se movimentam aleatoriamente, revelando detalhes diversos. Até que se encontram ao mesmo tempo, no mesmo lugar.

Iluminam uma mesa de madeira bruta, inteiriça, de tampo grosso. Sobre a mesa, aparecem ferramentas de corte, um conjunto de facas, de vários tamanhos, cutelos, duas serras de metal, uma máquina manual, de ferro, para moer carne. Encostado na cabeceira da mesa está um machado, como se ali tivesse sido largado provisoriamente, para ser usado em seguida.

Vejo um reflexo de espanto, mas com resquícios de prazer, vertendo na claridade dos olhos de Catarina. A agilidade de uma sombra disforme cruza seu rosto.

Ela diz:

– Caraca! Muito doido, cara! Coisa mais maluca, Zezinho!

José concorda com a cabeça, também agitado.

– Isso aqui deve ser muito antigo, Cata. Do tempo em que as pessoas criavam e carneavam porcos no quintal.

Catarina se afasta da mesa, mantém a lanterna do telefone na mão direita, focada aleatoriamente em um ponto indefinido. Em seguida, faz o facho vagar no espaço, em um movimento que lembra um refletor de prisão à procura de fugitivos. Ilumina um objeto que parece ser uma máquina de triturar ossos. Mas não se demora. Está mesmo é à procura de algo mais improvável e em consonância com o novo cenário, ou mesmo provável, mas fora da curva de uma normalidade concebível. E encontra. Em um de seus zigue-zagues com o facho da lanterna, descobre um esqueleto humano encostado na parede. Parece ter morrido ali, naquela posição, dormindo ou enquanto esperava a visita de um médico para lhe prestar socorro.

O rosto dela não aparenta medo ou susto. Apenas surpresa e, discretamente, admiração.

Fala sem se virar.

– Zezinho, olha isso!

Ele caminha até ela.

José, sim, está assustado.

Agarra-se à mão dela, depois à cintura. Seus longos braços a contornam inteira, e essa posição de conforto obriga-o a cruzar o encontro das mãos com os antebraços para poder apertá-la, com vigor, contra a tensão dos próprios músculos.

Dou um pequeno zoom e vejo os seios de Catarina marcados pela camiseta colada à pele, encharcada de suor recente. Ela solta o corpo para cima dele, como se gostasse do contato. Vira o rosto. Ficam muito próximos, os troncos se tocando com suavidade.

– Que horror tudo isso! – ele diz. – Temos que avisar a polícia, Cata!

Ela se espanta com a proposta. Depois sorri, com malícia. Encara-o sem acreditar no que ele diz, se fala sério ou se brinca.

– Por que chamar a polícia?

Sem querer, ela toca o braço num cutelo sobre a mesa, que cai no chão, fazendo um som estridente.

José ainda está espantado.

– É um esqueleto humano! A polícia precisa saber, Cata.

Ela aproxima seu rosto do rosto dele. Passa a língua nos lábios, que ficam molhados.

José fixa os olhos nos lábios dela, que volta a lambê-los ao perceber o interesse dele.

E diz:

– Eu sempre sonhei em ter um crânio humano, verdadeiro, no meu futuro consultório.

Enquanto fala, ela o abraça e começa a beijá-lo.

– Não acabe com esse meu sonho de criança, José Carlos.

Ele corresponde ao beijo. Tira a blusa dela e lhe abocanha os seios.

Ela se agacha para tirar o short.

Ele tira a roupa rapidamente, como se fosse um assassino em fuga e um camburão da polícia estivesse para chegar a qualquer momento, para jogá-lo atrás das grades de uma masmorra infecta.

Pulam para cima da mesa.

Transam alucinadamente, ela tomando todas as iniciativas, tanto nas posições como no ritmo. Ela grita no ponto final. Ele a prende nos braços, com toda a força. Ela volta a gritar alto, se debate em cima dele. Um cutelo cai no chão, fazendo um barulho abrupto e pesado, mas eles o ignoram.

Depois de um tempo de descontrole recíproco, vão se acalmando, aos poucos, mas agarrados um ao outro. Sombras que parecem ser as deles se projetam no teto, nas paredes e no chão, embora estejam imobilizados, um nos braços do outro.

José fica deitado, na mesa, de costas, olhando para cima.

Ela se levanta.

O aposento volta a ficar em calmaria. Nada se ouve, a não ser a respiração ofegante dos dois, que se acalmam com declarada lentidão.

Súbito, ouvem um som seco, que não se propaga, que se abafa em si mesmo, de metal sobre madeira, de um objeto cortante que cai com violência e se crava profundamente em algo chocho, morto. E silencia, engolido pelo próprio silêncio.

José se levanta num pulo. Vê o machado cravado na mesa, bem próximo de onde estava a sua cabeça.

– Deve ter caído do teto! Quase nos acertou.

Dou um zoom e vejo o rosto sorridente de Catarina, por trás da cabeça dele, que não a vê. Seu semblante parece mais belo e sereno, ainda que, em algum lugar, uma sombra de asas soturnas trespasse a claridade de seus olhos azuis.

Ela diz:

– Gostei dessa brincadeirinha, Zezinho!

E passa as mãos em concha nos dois seios molhados, latejantes e intumescidos.

Ele a observa, cheio de renovada paixão, já esquecido do episódio recente do machado que quase lhe acertara a cabeça.

O quarto está às escuras. Uma réstia de luz vinda da rua entra por um vão empenado da janela veneziana e se projeta sobre os pés da cama, igual a um objeto de metal posto ali como mera peça ornamental. Os dois estão deitados e dormem um sono profundo.

Catarina acorda com um barulho estranho do lado de fora, talvez no porão. É um grito, que vem seguido do som desagradável de algo metálico despencando nas pedras.

José continua dormindo, mas com a respiração agitada. Aparecem sombras nas paredes. Vão se alterando à medida que se movimentam, como se fossem pessoas impacientes andando ao léu na contraluz.

Catarina se levanta. Olha para José, que continua dormindo. Em seguida, no entanto, ele começa a se mexer.

Algo estranho está acontecendo, além do que posso ver no monitor. Aciono o modo "Cérebro" do meu terminal RESIHUC.

Catarina se prepara para sair. Cuida-se para não acordar o marido. Mas isso pouco importa. Embora se remexa na cama, José aparenta estar em sono profundo. Uma paulada na cabeça não seria capaz de acordá-lo.

Coloco os fones nos ouvidos e abro outra janela no monitor.

No porão, um homem e uma mulher se movimentam sobre a mesa de madeira. Ela está deitada, ele por cima. Seu corpo encobre a fisionomia dela.

Ele a força para transar. Ela se debate, tenta resistir, mas ele é mais forte, e acaba sufocando-a com o peso do próprio corpo.

Ela grita:

– Não! Não!

O homem continua decidido a terminar o que começou. Segura ela nos dois braços para imobilizá-la. Ela não para de se debater. Pelo contrário, empreende o máximo de forças no intuito de se livrar dele. Mas quanto mais ela se debate, mais fica imobilizada e sem chances de ficar livre.

E grita:

– Não, por favor, eu não quero! Não!

Mas ele diz:

– Você não tem que querer ou deixar de querer. Você só precisa me obedecer.

– Não! Por favor!

Ele a prende pelo pescoço. Arrocha os braços com toda a força para sufocá-la e lhe tirar a capacidade de resistir. Ela vai amolecendo o corpo aos poucos. Fecha os olhos. Ele pula sobre ela e se acomoda entre as pernas abertas.

Uma sombra veloz cruza a parede, percorre o teto e baixa em cima deles, algo como o reflexo de uma grande serpente preta sobre uma larga lâmina de metal brilhante.

E a esse movimento descomunal se segue um grito de terror, desumano, de alguém que encontra a morte cara a cara e tem certeza de que não escapará de suas garras.

Um jorro de sangue é despejado sobre a mulher. Imediatamente ouve-se um som balofo vindo do chão, e o grito pavoroso dá lugar a uma espécie de gargarejo gigante, intercalado com golfadas de algo sendo despejado no piso.

Vejo o rosto de José banhando em sangue. Está com um machado ensanguentado na mão. Sua expressão é medonha. Tem os dentes cerrados, para fora dos lábios, igual a um animal feroz que acaba de ser ameaçado por outro no meio de uma floresta. Joga o machado no chão e se ajoelha ao lado do homem, que agoniza, partido ao meio. O corte lhe partiu a cabeça, desceu pelo meio do pescoço e abriu parte do tronco, até o peito, as duas partes, cada uma caída para um lado.

José, então, enfia a mão pelo buraco que se abriu abaixo do pescoço e o revira, no fundo. Depois de algum esforço, puxa algo para fora. O sangue jorra como se saísse de uma torneira aberta – e o rosto dele fica coberto de sangue quente.

Catarina está um passo além da porta do quarto. Ouve um grito de pavor às costas. Estremece de susto. Pensa que o grito vem de fora, de outro canto da casa, talvez do porão. Olha para a cama e é José quem grita e se debate, desesperado. Ela corre para ele e o chacoalha pelos ombros para acordá-lo.

Passados alguns segundos, José acorda, os olhos esbugalhados de terror.

– Meu Deus! O que houve, Zezinho?

José demora a falar. Ofegante, o rosto banhado em suor.

– Eu matei um cara que tentava te estuprar! No porão! Comi o coração dele!

Uma sombra pesada passa na parede e cruza o teto de fora a fora.

Catarina acaricia-o com a palma da mão.

– Foi um pesadelo. Fica calmo. Um pesadelo.

Ele diz, quase aos gritos:

– Não! Era muito real pra ser um pesadelo.

Salta da cama, a roupa molhada de suor colada ao corpo.

Catarina diz:

– Mas foi um pesadelo, você estava dormindo. Eu estava acordada quando você começou a gritar.

Ele caminha pelo quarto.

– Então foi algo premonitório, tenho certeza. Aquilo vai acontecer. Tenho certeza, Cata. Eu vou matar um homem.

Volta para a cama, desesperado. Puxa o lençol até o queixo.

– Eu vou matar um homem!

– Tente se acalmar. Depois vamos voltar a dormir. Amanhã você esquece e tudo fica bem.

– Foi uma premonição, tenho certeza.

Ela se deita ao lado do marido e tenta acalmá-lo. Mas quando ele começa a relaxar, a dar sinais de que volta a ser o José tranquilo e cordato de antes, o dia já está nascendo, os raios de sol entram pelos vãos da veneziana, juntamente com os primeiros sons da madrugada, dos motores acelerados dos carros passando na rua, em direção ao burburinho matinal do Centro Histórico.

Hoje a sede da Organização NUSE recebeu uma visita de George Sorkos, o homem por trás do nosso projeto de dominar o planeta. É o pai da ideia de fazer da Terra um país único, habitado por escravos controlados por chips, sob o nosso irrestrito domínio. Está preocupado com o Brasil, onde um grupo com forte influência nas redes sociais começa a se expandir. São pessoas autodenominadas "patriotas", que se opõem e trabalham contra nós. Insuflados por autoridades constituídas, usam as redes sociais para nos desmascarar sobre a verdade dos fatos. E a verdade dos fatos, obviamente, não interessa aos nossos infames objetivos.

Sobre esses brasileiros não temos controle. Como não receberam a vacina, não carregam em seus respectivos corpos os nossos chips/antenas. E isso dificulta bastante a vida da NUSE e seu projeto ideológico de dominação.

Saí da reunião e fui correndo para o meu terminal do RE-SIHUC, a curiosidade me escorrendo pelos cantos dos olhos, ansioso para ver como e onde andam meus personagens.

Vejo sobre uma mesa de metal um cadáver para estudos, no que deve ser uma faculdade de Medicina. Em um círculo, ao lado, posicionam-se estudantes com jalecos brancos e máscaras no rosto. Pelas imagens e sons chegando ao terminal, percebo que todos estão chipados e com ótimos sinais de emissão.

Na cabeceira, vejo um homem grisalho, que é o professor, também usando máscara.

Ele diz:

– Pessoal, isso aqui que vocês estão vendo é um corpo humano...

Alguns riem.

Catarina está entre os estudantes. Mas fica séria, concentrada.

O professor continua:

– Dizendo assim, parece que estou apenas sendo óbvio. Não é mesmo?

Ele levanta o rosto e encara um por um.

Alguns ainda riem, é possível perceber pelo movimento e pelas rugas no entorno dos olhos, quando as pálpebras se contraem.

– Quando digo que este corpo é de um ser humano – ele continua –, estou querendo dizer, implicitamente, que esta pessoa já teve, como todos nós, sonhos e frustrações, já alimentou esperanças sobre a vida e o futuro, já teve pai, já teve mãe, já foi criança e, como criança, já deu alegria aos pais; como adulto, já amou, já sofreu, já respirou o mesmo ar que respiramos e, acima de tudo, já foi um de nós... E que não devemos nunca esquecer: é aquilo que seremos amanhã.

Olha em volta.

E diz:

– Por isso é que este corpo merece o nosso respeito. Merece e exige o nosso respeito por tudo o que foi, como ser humano, e por tudo o que representará para nós, para nos trazer conhecimento e para consolidar a nossa missão como médicos, que é salvar vidas... ou, no mínimo, abreviar a dor daqueles que sofrem. E para nos lembrar que dinheiro não é o mais importante. Com ele ou sem ele, com muito ou com pouco, esse é o nosso irremediável futuro.

Faz uma pausa, olha os estudantes e pergunta:

– Podemos começar?

Todos dizem que sim.

E ele:

– Hoje vamos empregar aqui todo o conhecimento de anatomia que, até agora, estudamos de forma teórica. E vou pedir a alguém que queira começar. Não tenham medo de errar.

Bate com o indicador na testa do cadáver.

– O nosso amigo não sente mais as dores do mundo. E, esteja onde estiver, sabe que sua presença neste recinto será de infinita grandeza para nós e para a missão que escolhemos abraçar.

Olha em volta. Pega um bisturi de um armário.

– Quem quer começar, por favor?

Catarina dá um passo à frente.

– Eu, professor! – ela diz.

E o professor:

– Muito bem! A Catarina vai começar.

Entrega o bisturi a ela com certa solenidade.

– Vamos começar pelo coração, órgão vital para a nossa saúde, em todos os sentidos. Físicos e emocionais.

Catarina para ao lado do corpo humano. Olha-o dos pés à cabeça. Apalpa o peito do cadáver.

E o professor, com certo encantamento, que tenta disfarçar no timbre monótono da voz, diz:

– Nessa hora, sempre lembro de um antigo professor de anatomia, chefe do IML da Santa Casa. Tinha fixação por um caso de canibalismo ocorrido na cidade no século 19, de um casal que fazia linguiça de carne humana. A gente o chamava de Doutor Canibal. Era fissurado naquilo, recontava o caso em detalhes a cada aula de anatomia. A gente até achava que era um canibal frustrado. Dizia que depois daquela aula, todos nós estávamos aptos a fazer linguiças de carne humana. E ria como um doido varrido fugindo do manicômio.

Catarina está curiosa. Faz um corte superficial, sob o olhar dos colegas. Vacila no início, depois vai fundo com o bisturi.

Parece alheia à fala do professor.

O professor continua:

– Alguém aqui já ouviu falar desse caso?

Os alunos movimentam negativamente a cabeça.

Catarina aprofunda o corte.

– Sim, isso é um assunto de gente velha. – Ele sorri. – Os Crimes da Rua do Arvoredo já foram motivo de estudos acadêmicos, de livros, de peças de teatro. Até Charles Darwin o citou em seus apontamentos, nos estudos sobre a natureza humana. Há sempre quem se lembre deles aqui, nas nossas aulas práticas. Eu sou o primeiro – diz e ri alto.

Catarina segue cortando o corpo ressequido, com desenvoltura, como se tivesse conhecimento prático e inegável experiência no que fazia. Aprofunda mais um pouco o corte e toca com o indicador o coração do cadáver. O professor diz "muito bem, Catarina". Ela dirige a ele a transparência de um olhar satisfeito.

Ele também toca no coração do cadáver e passa a instruí-la sobre os procedimentos seguintes. Ela acata tudo o que ouve. E não há dúvidas de que sente prazer no que está fazendo.

Na saída da aula, Pati, uma colega e amiga, vem ao encontro dela. Acha desproporcional alguma coisa no semblante da amiga. Ao vê-la, Catarina leva um susto, despertada de um momento de vigília interior, mergulhada em outros pensamentos e fantasias. A impressão inicial é de algo absurdo. É de quem não está reconhecendo a colega de aula.

Pati diz:

– Credo, amiga. O que foi aquilo?

Catarina tem um sobressalto ao ouvir a voz tão próxima. Vira-se para ela.

– *O que foi aquilo* o quê?

Pati está surpresa.

– Na aula, você parecia fora de si, outra pessoa, retalhando o cadáver.

Catarina se descontrai, agora voltando à realidade de seu jeito costumeiro. Um belo sorriso se estampa no seu rosto.

– Coisa da sua cabeça, amiga. Deve ter ficado impressionada com um morto ali, em carne e osso, na tua frente.

Pati fica séria, jeito de preocupada.

– Pode ser. Mas você parecia tão acostumada com aquilo...

Catarina segue em frente, na direção da saída.

– Acostumada, não. Mas essas coisas não me impressionam nem um pouco. Se for para meter a faca, eu meto mesmo.

Então solta uma gargalhada fora do normal, que Pati nunca tinha visto. E em desacordo com o ambiente.

7

Catarina e José caminham na calçada, de mãos dadas. Seguem alegres, conversando e rindo por qualquer bobagem que um diz ao outro. O clima entre ambos é diverso da tensão vista na primeira cena, quando ela reclamou da falta de interesse dele para o sexo. Parecem felizes, um casal que recém desceu do altar e se prepara para uma calorosa noite de núpcias em uma pousada na Ilha de Fernando de Noronha.

Ao fundo, enquanto caminham, há uma placa sob a marquise de um pequeno prédio, em que se lê *Hamburgueria e lanches Boca Santa – Delivery*. É possível visualizar várias fotos intercaladas, de hambúrgueres, cachorros-quentes, pizzas e pastéis.

Alguns motoqueiros, encostados em suas motos, conversam junto ao meio-fio. Observam os dois quando eles passam. De dentro da lancheria, sai um homem de avental e uma bandana vermelha na cabeça, que também os observa pelas costas.

Catarina e José seguem caminhando, abraçados e felizes, até que entram em casa.

Ela puxa-o pela mão. Está com pressa, sua expressão é de quem prepara uma surpresa para o marido, a ser revelada a qualquer momento. Entram no quartinho de acesso ao subsolo. Ela pede ajuda para levantar a portinhola.

– Ajuda aqui, Zezinho.

Deu para perceber que, em momentos de afeto, ela o trata por Zezinho? Quando está irritada, José Carlos.

Abrem o tampão de entrada e descem as escadas, ela na frente, carregando-o pelo braço.

Assim que pisam no chão, ela larga a mão dele e puxa a camiseta para cima. Dá dois passos na sua frente, vira-se e joga a camiseta no seu rosto.

E diz:

– Você não imagina o que descobri hoje. Na aula de anatomia.

Nos ladrilhos do chão e nas pedras escuras das paredes se sobrepõem as sombras dos dois. Estão inquietas como eles próprios, delineadas pelo calor da luz avermelhada vinda da entrada, quase acima de suas cabeças.

Catarina corre e senta-se numa ponta da mesa. Está nua da cintura para cima.

José se aproxima, já percebendo qual é a intenção dela. E sinaliza sua simpatia pela ideia.

Ela abre os braços para recebê-lo.

Ele também tira a camisa enquanto caminha. Ela o acolhe com um abraço de cruzar os braços por trás das costas. Agarram-se. Ela começa a beijá-lo no pescoço, com força, e o beijo termina com uma forte mordida, que o obriga a recuar, surpreso.

José esquiva-se, olha-a direto no rosto, mas não reclama. Beija-lhe os lábios. No fim do beijo, é a vez dela de se afastar. Mira-o com luxúria, com a intenção de repetir a mordida.

– O que você descobriu na aula de anatomia, que veio desse jeito, toda cheia de malícia? – ele pergunta.

Ela beija-o mais uma vez.

– Você já ouviu falar de um caso de canibalismo, que aconteceu aqui em Porto Alegre, acho que no século passado?

Ele diz que não. E, nos braços dela, não parece muito interessado em saber.

– De um casal... que fazia linguiça de carne humana e vendia na cidade. E todo mundo que comia queria mais.

Ele faz uma cara de nojo.

– Que horror, Cata!

Ela começa a tirar a roupa dele. Abaixa-se para lhe puxar as calças. Enquanto o despe, com a cabeça abaixada até a cintura dele, vai falando, com sensualidade.

– Ele se chamava José. Ela, Catarina...

José dá um gemido de prazer, enquanto a cabeça dela passa a se movimentar com lentidão, em movimentos sutis, para a frente e para trás. Catarina mantém o ritmo por mais alguns segundos, ele geme, depois ela se ergue e o encara.

– A casa deles, onde preparavam as linguiças... ficava numa rua chamada Arvoredo.

Ele se deita de costas na mesa. Puxa a calça dela para baixo e a deixa nua.

Ela sussurra, entre gemidos:

– Essa rua vinha a ser... olha só... o antigo nome desta rua onde estamos.

Ele dirige a cabeça até o ventre dela. Catarina geme, para de falar. Em seguida se ergue, como se tivesse esquecido algo em algum lugar distante. Empurra-o e pula sobre ele. Acomoda-se e começa a se movimentar, com lentidão. José solta sussurros, que se multiplicam quando ela aumenta o ritmo. Um machado cai ao chão, fazendo um barulho irritante. Mas eles não dão importância.

Ela volta a falar, com frases entrecortadas:

– Catarina, a outra... com sua beleza, atraía os homens para cá... e faziam o serviço.

– Que serviço? – ele indaga, quase aos gritos.

O rosto dele está vermelho. A impressão é de que acabou de ser mergulhado em um balde de sangue.

– Que serviço? – ele repete.

– Matavam o cara... e o transformavam... em linguiça.

Catarina está do lado de fora, regando as flores no canteiro. Veste uma regata justa e um short, também justo e curto.

De um canto da casa, aparece José, com um avental na cintura.

– Amor, agora dá um tempo e vem almoçar.

Ela se vira para ele. Seu semblante é descontraído, alegre, receptivo.

– O que temos para hoje, meu *chef* do coração?

Ele faz uma mesura, como um elegante *chef* de restaurante.

– Berinjelas na farinha de banana desidratada, guarnecidas por pimentões na chapa com molho de maracujá. Acompanha arroz selvagem e suco de pitangas. E *par desseur*, sorvete de manga.

Ela larga o regador de flores no chão e o abraça.

– Uau! Arrasou por hoje, Zezinho!

Enquanto caminham até a porta, abraçados, como dois namorados, ela diz:

– Hoje à noite a gente vai sair para dançar.

Ele a puxa mais para perto e lhe beija os cabelos.

– Boa ideia!

– Vamos comemorar o nosso renascimento.

Entram na casa.

– Além do mais, temos uma missão a cumprir – ela diz.

José fica intrigado.

– Missão a cumprir?

Ela ri, dá um selinho nele e desconversa.

– Ora, Zezinho, comemorar o renascimento da nossa vida sexual não é uma missão a cumprir?

Ele concorda e corresponde ao entusiasmo dela com um beijo de carinho na sua face.

Bateu um relatório aqui na sede da NUSE que agitou o dia de todo mundo. Os globalistas/comunistas – é assim que os terraplanistas os chamam – Jimmy Carter, Bill Clinton, Barack Obama e George W. estiveram reunidos, à noite passada, no porão de uma pizzaria de Nova York, frequentemente usado por um grupo de pedófilos que age na cidade. Redigiram uma carta à Organização NUSE, preocupados com o que consideram uma demora, de nossa parte, em tocar adiante o projeto ChipVacina. E o problema é sempre o Brasil.

Não quero me deixar afetar pelas vidas de Catarina e José, mas não estou conseguindo me concentrar direito no trabalho. Passo o tempo todo pensando neles e querendo me ver livre dos compromissos profissionais para encontrá-los. Saí da reunião sem colaborar com sugestões e corri para o meu terminal RESIHUC.

O lugar de onde vem a música está praticamente lotado. Algumas garotas circulam pela pista. Outras executam danças sensuais sobre pequenos palcos redondos, agarradas a hastes de metal.

Noto a presença de vários homens, uns acompanhados de garotas, outros, em grupos, ocupando mesas, mas sem a companhia feminina.

Garçons circulam com bandejas, baldes de gelo e garrafas. Um jogo de luzes altera as cores do ambiente a cada segundo, evitando a fixação do olhar em um único ponto do cenário, que parece se alterar a cada troca de tom.

Súbito, uma porta se abre e entram Catarina e José.

Ela se veste com estilo: um vestido justo, vermelho, com uma fenda que lhe expõe inteiramente as costas além da linha da cintura e permite ver, com nitidez, o contraste entre a pele mais escura e as marcas do biquíni.

José vem de forma despojada. Calça jeans tradicional, uma camisa colorida para fora da calça, que lhe valoriza o peitoral, sapatos de bico fino, gel nos cabelos. É um casal que chama a atenção pela combinação de jovialidade, beleza e entusiasmo com que se insere no ambiente.

Estão acompanhados de um homem de preto, que foi quem os recebeu à porta de entrada.

Assim que os vê, o maître se aproxima, com exagerada gentileza. Faz sinal para o homem de preto, como se estivesse tudo ok. E ele volta para seu lugar, na porta de entrada.

– Boa noite, doutor! – dirige-se a José. – Seja bem-vindo à nossa casa.

Catarina responde com superioridade, como se a saudação tivesse sido dirigida a ela.

– Obrigada.

José não tem tempo de falar.

– O senhor gostaria de uma mesa de pista? Ou algo mais discreto? – diz o maître, insistindo em se dirigir a José.

Mas Catarina é quem responde:

– Uma mesa discreta, por favor.

O homem faz que sim com a cabeça.

– Sigam-me, por gentileza.

Eles contornam a pista na direção de uma mesa.

– Fiquem à vontade – diz o maître. – Um garçom virá atender vocês em seguida. Mas se precisarem de "algo mais", além das bebidas... me chamem, por favor.

Simultaneamente, enquanto o maître os conduzia, um homem bebendo no balcão os localiza com os olhos. Acompanhou-os com atenção explícita até eles se acomodarem em suas respectivas poltronas. Vejo que não é vacinado. Portanto, não emite sinais. E isso vai me dificultar um pouco para saber o que pensa. Mas não será problema. Em tais circunstâncias, é bem fácil saber o que se passa na cabeça de um homem de bem.

Um garçom que vinha mais atrás se aproxima da mesa. Catarina faz os pedidos. Ao mesmo tempo, José estuda o ambiente, encantado com tudo o que vê no entorno: as garotas seminuas, as luzes, os casais dançando na pista.

Catarina está ainda mais empolgada. Mesmo sentada, movimenta o tronco no ritmo da música.

– Daqui a pouco tem um show de striptease – fala junto ao ouvido dele, quase lhe tocando a orelha com os lábios.

José olha para os lados.

Ela aponta para um palco, na parede oposta à entrada, o lugar do striptease.

Ele diz:

– Nossa, você se informou sobre tudo, Cata.

Ela sorri e lhe dá um selinho.

No balcão, o homem que os acompanhou atravessando a pista continua a observá-los. Sem se virar, faz sinal para o barman lhe servir mais uma vodca. Toma um farto gole, sem desviar os olhos dos dois, e devolve o copo ao balcão.

– Pensei em tudo, meu bem. Escolhi a dedo – diz Catarina, sem perceber que são observados. – Temos que sair um pouco do circuito Padre Chagas, Moinhos de Vento. Vamos mudar o nosso lugar de fala, bebê.

José continua a olhar para os lados.

– Já pensou se a gente encontra algum conhecido aqui?

Na pista, casais abraçados e algumas garotas desacompanhadas dançam com animação. A maioria delas está seminua, vestem apenas lingerie, algumas sem a parte de cima.

O volume alto da música obriga Catarina a falar muito próximo do ouvido de José.

– Pare de se preocupar com os outros, José Carlos. A noite é nossa. Pense nisso.

Nesse momento, o garçom se aproxima com um balde de energéticos com gelo e uma garrafa de uísque, que tem uma trena colada por fora. Começa a servir Catarina. Depois faz o contorno por trás de José para servi-lo também.

Enquanto o garçom realiza o serviço, Catarina olha inadvertidamente na direção do balcão. De imediato, lhe chama a atenção o homem com jeito de cafajeste. Ele a observa, semblante descontraído, um sorriso sem abrir a boca, de quem quer ser notado.

Catarina sorri de volta. Ele retribui o gesto e ergue o copo, como se sugerisse um brinde. Pelo movimento de seus lábios, dá para ver que é "tim-tim" o que ele diz.

Conforme o tempo passa, a casa fica mais lotada. A agitação da pista aumenta na mesma proporção, casais dançam agarrados, com uma volúpia de quem pensa em transar ali mesmo; outros se beijam nas mesas, alguns, depois de um tempo, se levantam, sobem uma escada ao fundo, um garçom segue atrás com o balde de gelo e as bebidas que consumiam na mesa.

Catarina puxa José pela mão e leva-o até a pista. Começam a dançar separados. A performance dela chama a atenção dos homens. Ficam admirados com o seu estilo de dançar, que é diferente e até mais despojado que o das garotas da casa. Alguns se aproximam, dançam junto.

Não demora e o homem do balcão vai para a pista também. Chama uma garota para lhe fazer companhia.

Catarina percebe a presença dele. Puxa José pelo pescoço para dançarem juntos. O homem do balcão força um contato de corpo com ela, pelas costas. Ela se mexe, provocativa, abraça-se a José ainda mais. Esfrega-se nele.

O homem tem algo fechado na mão. A lotação da pista facilita seu projeto de abordagem. Os pares são obrigados a se tocar. Quando se aproxima de Catarina, por trás, o homem lhe enfia a mão pela abertura traseira do vestido. Catarina não recua. E não se desgruda do pescoço do marido.

O homem desce a mão além da cintura dela. A mão espalmada, devagar. Ela continua a dançar, como se nada de anormal estivesse acontecendo. Ele fica assim, com a mão dentro do vestido dela, lhe segurando as nádegas, por mais uns segundos. Ao mesmo tempo, ela procura os lábios de José e lhe beija a boca. De língua. Só para quando o homem retira a mão e segue pela pista, dançando com a garota.

Catarina fala algo ao ouvido de José. Abraçados, continuam a dançar. O homem volta para o balcão e serve-se de mais vodca.

Catarina e José estão de volta à mesa.

Ela diz que gostaria de ir embora.

José parece contrariado, mas chama o garçom e pede a conta.

Enquanto o garçom não volta, ela diz que vai ao toalete.

Do balcão, o homem a acompanha com os olhos, mas não a segue.

Assim que entra no banheiro, Catarina enfia a mão por trás do vestido, por dentro da calcinha, e retira um papel enrolado.

Desenrola-o.

"Venho aqui todas as noites. Te espero. Alex."

José e Catarina estão na frente da boate, banhados pelas luzes do neon da fachada, onde se lê "Anjos&Demônios".

A iluminação, com um princípio de fog, é de um filme *noir* anos 1950. Um segurança, todo de preto, faz sinal para um táxi, que para junto à calçada. Ele abre a porta de trás e faz sinal para os dois se aproximarem.

O carro se movimenta lentamente, em meio à bruma transparente da madrugada. Ao fundo, diante da boate, a observar o movimento do carro, está Alex, que conversa com o segurança.

De dentro do carro, a paisagem de neon e luzes passa pelo outro lado da janela, embaralhando a visão de José e Catarina. No banco de trás, os dois se beijam com volúpia, como se tivessem se conhecido naquela noite e seguissem a caminho do motel mais próximo.

O motorista os observa pelo retrovisor.

O táxi estaciona diante da casa deles. O fog deixa a paisagem densa e difusa. Eles descem, e Catarina abre o portão de ferro com uma chave; o táxi arranca, eles entram na casa.

Assim que a porta se fecha por fora, ouvem um som seco, alto, o mesmo do machado caindo e se cravando na mesa de madeira quando eles transaram, na noite em que descobriram o porão. José tem um sobressalto. Mas Catarina não se assusta. Puxa-o pela mão, como se o barulho a atraísse. Para ela não havia nada de estranho naquele som extemporâneo e amedrontador rasgando as entranhas da madrugada. Pelo contrário. Ela parecia sentir prazer.

10

Catarina sai pelo portão de casa e caminha na calçada, recém-saída do banho. Os cabelos estão soltos e ainda molhados. Veste-se com despojo: calça jeans justa, rasgada, tênis e camiseta com uma estampa de caveira no peito.

Anda até o meio da quadra e entra na hamburgueria Boca Santa. Assim que ela passa, os motoqueiros a olham por trás e cochicham entre si.

De trás do balcão, Catarina mira as fotos de lanches distribuídas na parede.

Um homem de avental vermelho aparece para atendê-la. Vem mostrando os dentes, solícito, como se ela fosse uma velha conhecida.

Catarina fala antes de ele dizer alguma coisa, que ela já imagina ser um galanteio.

– Você tem alguma coisa vegana?

Ele sorri com jeito de conquistador.

– Não! Infelizmente *ainda* não temos.

Catarina faz uma expressão de desagrado. Fala com autoridade, encarando o homem já para se vacinar contra qualquer investida dele.

– Mas devia ter!

O homem debruça-se sobre o balcão. Mira Catarina. Parece não ter gostado do tom da conversa. No entanto, quando começa a falar abre o sorriso outra vez.

– Mas amanhã teremos.

Catarina continua a encará-lo, sem entender a afirmativa dele. Ele segue adiante, no mesmo tom, alheio ao jeito de ela reagir.

– As palavras de uma lindeza como você, a partir de agora, serão uma ordem aqui nesta casa de homens tementes a Deus. E não se fala mais nisso.

Espicha o braço na direção dela, sugerindo um aperto de mão.

– Fechado!?

Catarina não altera a postura do corpo, sem abrir o sorriso que ele esperava receber depois de sua fala. Ela não espicha o braço para o aperto de mão. Mas fixa os olhos nos dele, agora com um olhar lânguido, menos hostil, que o faz corresponder, olho no olho.

– Fechado!

Ele puxa o braço de volta, frustrado com a negativa dela de lhe apertar a mão.

– Você teria uma receita para me passar? – pergunta ele, feliz com a possiblidade aberta para o retorno dela à casa. – Se não forem ingredientes que dependam de importação, talvez ainda hoje a gente dê um jeito nisso.

O homem pega um caderno ao lado da caixa registradora e uma caneta.

– Pode anotar aqui.

Ela empurra o caderno e a caneta de volta. Encara-o com desgosto.

– Assim, de mão beijada, bebê? Se estiver mesmo a fim... corre atrás, meu querido.

Aponta para uma foto de lanche na parede.

– Enquanto isso, prepara dois daqueles ali, para levar.

Ele fica surpreso.

– O Bocadão!?

Ela simula um tom inocente na voz.

– É o que está escrito ali, não?

– Mas esse tem carne e ovo!

Ela contrai as faces, uma expressão entre a ironia e o sensual. Discretamente, passa a língua nos lábios.

– Ótimo. É esse que eu quero.

⸙

Ótimo também digo eu, ao conferir os sinais que chegam potentes aqui no RESIHUC. O homem é vacinado. Sua antena está em perfeita sintonia com meu receptor. É o dono da hamburgueria e se chama Manoel.

⸙

Catarina entra em casa pela porta da cozinha, chamando por José.

– José Carlos! Onde você está?

– Aqui, amor!

José está diante do computador, digitando só com a mão direita. Na outra, segura um livro de receitas, de onde copia um texto.

Catarina carrega uma sacola com o logo da hamburgueria Boca Santa.

– Trouxe almoço pra gente.

Ela levanta a sacola e a mostra a ele.

José dá um Ctrl+S para salvar o texto. Aspira o ar próximo da sacola, faz uma expressão de desagrado.

– Isso tem cheiro de carne, Cata!?

Ela puxa-o pela mão. Ele se levanta, sem resistência. Mas mantém a cara de nojo.

Catarina leva-o para a porta, meio de arrasto, até o quartinho. Descem a escada, uma luz indireta cai sobre suas costas, desenhando-os com um perfil avermelhado sobre as pedras escuras da parede.

Catarina vai até a mesa e larga a sacola em cima. Tira de dentro duas caixas de suco e os hambúrgueres. Algumas sombras se movimentam no teto, embora eles estejam parados.

A expressão de José é de pânico.

Ela entrega um hambúrguer para ele.

Abre o seu e dá uma mordida. Mastiga com volúpia. José está estático, perplexo, transformado em uma estátua de pedras enrijecida pela soma de vários séculos nas costas.

– Que horror, Cata!

– Come! Você vai ver que não é tão ruim assim.

Ele resiste.

Ela tira um pedaço do seu hambúrguer e prende-o nos dentes. Aproxima-se, enlaça os braços no seu pescoço, leva a boca ao rosto dele. José tenta recuar. Ela segura a sua nuca e enfia o pedaço de hambúrguer contra seus dentes. Ele não resiste mais. Começa a mastigar. Ela tira a camiseta dele e beija-o na boca, enquanto ele engole o primeiro pedaço de hambúrguer de carne.

A cena prossegue, José sob o inteiro domínio dela. Catarina despe-o e tira a própria roupa. Enquanto ficam nus, vai enfiando pedaços de carne e pão entre os lábios dele e beijando-o em seguida, com esforço, como se quisesse comê-lo junto.

11

Catarina e José estão sentados à mesa, um de cada lado. Uma luz amarelada, vitralizada, cai sobre a cabeça deles e escorre até o chão.

Ela diz:

– Minha avó sempre apelava para o copinho quando queria perguntar alguma coisa, fazer contato com o além. E dava certo.

Sobre a mesa, está estendida uma folha grande de cartolina com o alfabeto em círculo. Bem ao centro, foi desenhada uma cruz, meio encoberta por um pequeno copo de vidro, o fundo para cima, desses de aperitivo. Ao lado, ao alcance dela, um bloco de papel e uma caneta.

Catarina e José se concentram, olhos semicerrados, a luz banhando os rostos avermelhados.

Ela esfrega as mãos, enche os pulmões de ar, vai soltando aos poucos.

– Ó, meu Jesus, que com seu poder e bondade está sempre a nos orientar e proteger... permita-nos aqui, em Seu sagrado nome, que possamos realizar esta sessão, com fé e respeito, e nos dê luz para que possamos nos comunicar com os espíritos aqui presentes e que também estejam querendo se comunicar conosco, amém.

Abre as pálpebras e mira José, ele com os olhos fechados.

– Diz "amém", José Carlos.

Ele abre os olhos.

– Amém.

Catarina estende a mão e pousa o indicador no fundo do copinho. Sinaliza para que José faça o mesmo.

Ele obedece.

– Concentração... concentração... Se estiverem aqui e quiserem se comunicar, os espíritos de Catarina Palse e José Ramos se manifestem, por favor.

Os dois voltam a fechar os olhos, os respectivos indicadores sobre o fundo do copinho.

Catarina puxa aos poucos o ar para os pulmões e vai soltando-o, com cuidado. É o único barulho que se ouve no aposento. Do ar saindo dos pulmões dela.

Alguns segundos depois, o copinho começa a se movimentar. Gira no entorno do alfabeto e para na letra "S".

– Entendido – diz Catarina.

E anota a letra "S" na caderneta. Recoloca o copinho no centro. E diz:

– Continue, por favor.

O copinho se movimenta e vai até a letra "I".

– Entendido.

Catarina anota.

Recoloca o copinho no centro.

Ele se movimenta e vai até a letra "M".

Tão logo o copinho para na letra "M", antes que Catarina diga entendido, ouve-se um grito horroroso, prolongado, que reverbera na noite antes silenciosa. Um grito de alguém que começa a cair em um imenso precipício ou leva um golpe fatal e agoniza a caminho da morte.

Em seguida, faz-se novamente silêncio.

Catarina e José abrem os olhos.

– Foi no porão! – ela diz.

Levantam-se às pressas e correm para o quartinho.

Catarina vai à frente. Descem correndo as escadas. Usam as lanternas dos telefones para iluminar o caminho.

Tudo parece normal, os objetos nos lugares, o jogo de facas, o cutelo, o machado cravado na mesa, a máquina de moer carne, o esqueleto humano junto à parede, na mesma posição de quando Catarina o encontrou.

Fazem uma nova inspeção. Nada fora do lugar. O silêncio é tanto que seus passos ressoam solitários no ambiente, entre as pedras escuras da parede com suas sombras sinistras, e se parecem com algo distante, intangível além das entranhas do universo.

Voltam a subir as escadas, calados. Sentam-se à mesa para reiniciarem a sessão.

Assim que se senta, o olhar de espanto de Catarina assusta José. Ao mesmo tempo, algo se debate sob a lâmpada do teto, projetando sobre a cabeça deles uma espécie de cortina sombria e transparente, que logo desaparece.

– O que foi isso, Cata!? – diz José.

A *Coisa* passou despercebida no primeiro momento porque Catarina fixou os olhos no copinho sobre a cartolina com o alfabeto. Está em posição normal, ao centro do círculo, só que com a boca para cima. Catarina vai tocá-lo, mas na caderneta ao lado algo também lhe chama a atenção. E lhe provoca arrepios simultâneos no corpo, dos pés à cabeça, da cabeça aos pés.

José olha. O semblante de ambos é de incredulidade e medo.

Está escrito na caderneta:

SIM ESTAMOS AQUI. E QUEREMOS VINGANÇA.

12

Catarina caminha pelo campus na companhia da amiga Pati, ambas de jalecos brancos sobre as roupas. Não esconde a preocupação. Está aflita e diz que precisa de ajuda.

Sentam-se em um banco de madeira, junto a um canteiro coberto de relva.

Há um grande movimento de estudantes no entorno, um burburinho de vozes, um entra a sai do prédio mais próximo.

Catarina agora aparenta estar em seu estado normal, bem diferente de quando estiveram na aula de anatomia, quando Pati se impressionou com o seu jeito de dissecar o cadáver, e da conversa que mantiveram, depois da aula.

– Pati, outro dia você me disse que tem um conhecido que... como vou dizer? Que entende de espíritos... que fala com eles... que dá consultas.

– Sim, Irmão Uéllem da Luz. Atende por WhatsApp, é bem tranquilo.

Catarina a interrompe.

– Não, não! Eu gostaria presencial.

– Mas aí tem que marcar hora. O cara é super-requisitado, atende no Centro Histórico.

– Preciso fazer uma consulta pra ontem.

– De qualquer forma, tem que marcar hora.

– Sem problema. Você me passa o contato dele? Tenho urgência. Se ele puder, ainda hoje.

Pati pensa um pouco. Notando o quão assustada está a amiga, diz que ela mesma marca. Ele é seu amigo. Se Catarina ligar, talvez só tenha hora para a semana seguinte.

Catarina aceita a oferta.

– Ótimo. Você faz isso agora? Pode ligar do meu telefone.

Pati faz sinal para Catarina de que não. Vai usar o dela, sem problemas. E quer saber o que houve para tamanha preocupação.

– Estão acontecendo coisas estranhas lá em casa. Acho que antigos moradores, alguém que viveu lá, está querendo fazer contato. E eu queria uma orientação especializada. Estou meio sem saber que decisão tomar. Tenho sentido umas coisas meio malucas também. Às vezes parece que saio do ar por um tempo. Sem mais nem menos. O José Carlos está percebendo isso e já me falou, preocupado.

– Ah, o Irmão Uéllem é o cara pra isso. Ele vai te dar toda a letra, ele sabe demais. Vou marcar. Eu podia te ajudar um pouco. Minha bisa foi bruxa, me deixou muitos ensinamentos, mas acho que primeiro você precisa conhecer o irmão Uéllem.

Catarina desanuvia um pouco a expressão do rosto.

– Obrigada. Seria bom até que você fosse comigo.

Pati pega o telefone e digita.

– Pode deixar.

Encosta o telefone no ouvido. Espera, vira-se para Catarina.

– Tá chamando. – Faz uma pausa, os olhos no rosto da amiga. – Uéllem? Pode me atender?

Pati se afasta. Começa a falar. Catarina a observa com expectativa.

Catarina e Pati caminham na calçada, apressadas. Passam diante de edifícios antigos, alguns malcuidados, o que é comum no Centro Histórico de Porto Alegre, no Alto da Bronze, proximidades da Usina do Gasômetro.

Pati toma a frente, para diante de um prédio velho, dois pisos, toca o interfone do portão da grade.

Esperam um pouco. Ouvem um chiado vindo da porta.

– Sim?

– Eu, Pati.

Ouve-se um estalido de metal, Pati empurra o portão, que se abre. Caminham até a porta e entram apressadas.

Vejo que no meu monitor abre-se uma janela de perspectiva paralela. O foco está na lancheria, na rua onde moram Catarina e José. Manoel, o dono, que antes atendera Catarina, termina de montar um hambúrguer. Está eufórico. Coloca o prato sobre o balcão e o contempla com alegria. Dois empregados com aventais vermelhos acompanham a cena, curiosos, mas desconfiados.

Manoel aponta o hambúrguer no balcão, como se estivesse apresentando uma celebridade a um amigo.

– Eis!

E bate palmas.

– O primeiro vegano da casa, gente!

Um dos empregados torce o nariz.

– Isso não vai ter saída, Manoel! Essa história de vegano é conversa pra boi dormir.

Manoel pega o hambúrguer e dá uma mordida.

– E quem disse que é para ter saída, sangue bom?

Mastiga o hambúrguer com prazer.

– Essa especiaria aqui vai trazer muita glória para a nossa casa, gente!

Enquanto mastiga, faz uma dancinha atrás do balcão.

13

Pati e Catarina percorrem um espaço pequeno e mal iluminado, entre duas paredes escuras. Catarina diz que quer voltar. Fica estática no meio do caminho, de um jeito fora do comum. Diz que já está tudo bem. Pati não precisa se preocupar. Não precisa mais dos serviços de Pai Uéllem. Pensando bem, está tudo resolvido. Pati se irrita, diz que nem pensar voltar atrás. Agora já marcaram hora, precisam ir. Arrasta Catarina pelo braço. Os olhos dela ficam arregalados, assustadores. Mas Pati não desiste. Catarina segue adiante a contragosto.

Seus passos fazem eco de ponta a ponta do corredor, que parece não ter fim. Dá impressão de ser um túnel sem luz, onde não cabem as duas lado a lado. Chegam a uma porta também estreita, com sinais de ser uma passagem secreta.

A porta se abre sem que alguém bata.

Minha primeira providência foi verificar se Irmão Uéllem da Luz emite sinais. Sim, está devidamente vacinado, e sua recepção aqui é perfeita.

É um rapaz bem jovem, bigode fino e barbicha rala no queixo, usa os cabelos raspados, terno branco, camisa azul-clara e gravata cinza. Parece um recém-selecionado executivo de uma empresa de startups chegando para o trabalho, cheio de energias e de ideias revolucionárias para serem imediatamente colocadas em prática e mudar o mundo.

Movimenta-se com certa afetação e tenta disfarçar a admiração que seus olhos denunciaram ao se depararem com Catarina, ali tão próxima, esbelta e radiante diante de si. Está atrás de uma mesa de madeira forrada com uma toalha de signos coloridos e pequenos ossos brancos em cima, distribuídos aleatoriamente.

A luz direta no rosto de Irmão Uéllem lhe ressalta o brilho das duas pupilas, algo como dois objetos de vidro em alto-relevo. Do seu lado direito, também sobre a mesa, está um laptop, de onde sai parte da luz que ilumina seu rosto. No chão, quase às suas costas, sobre uma almofada vermelha, dorme um imenso gato angorá preto. Os seus olhos também refletem a luz do ambiente. Dependendo do ângulo de onde se olha, o animal passa a impressão de que não é de verdade, que foi costurado à mão em panos de veludo e lantejoulas.

Enquanto elas se sentam, Irmão Uéllem aciona um botão ao pé de um abajur à esquerda. Uma luz direta ilumina a parede às suas costas, formada por tíbias e crânios humanos empilhados de cima a baixo.

– Esta é a Catarina, Irmão Uéllem, de quem falei hoje.

Irmão Uéllem fixa os olhos no rosto de Catarina.

– Estamos com sorte hoje, Catarina.

Vira-se para o laptop, pega o mouse, localiza algo na tela, dá um clique, enche os pulmões de ar.

– Estamos cercados de bons espíritos.

Vai soltando o ar, os olhos fixos num ponto do monitor. Dá mais dois cliques.

– Estamos cercados de bons espíritos, Dom Pedro, Getúlio Vargas, Tancredo Neves, Caramuru, Tiradentes, Padre Anchieta... Espíritos do bem, sempre dispostos a nos ajudar, além dos nossos santos de sempre, São Jorge, São Sebastião, São Genésio, Maria da Penha, Santo Agostinho, Joana D'Arc, Anita Garibaldi, Maria Degolada.

Franze o cenho, cerra os olhos, aproxima o rosto do monitor.

– Mas tem dois aqui que eu não consigo identificar...

Detalhes estranhos aparecem no rosto de Irmão Uéllem.

Pati olha para Catarina com o canto dos olhos.

Irmão Uéllem continua:

– Vejo aqui um casal... A imagem está um pouco embaçada, mas é um homem e uma mulher.

O rosto de Irmão Uéllem troca de cor, iluminado pela variação de tons da tela do computador.

Catarina fica impressionada com a revelação. Avança o rosto, tentando ver a tela, mas Irmão Uéllem larga o mouse e se volta para o lado, como para impedir que ela se aproxime mais.

Ele a encara.

– Imagino que este casal tenha chegado aqui com vocês... estou conectado, online, e até vocês se sentarem eu não tinha visto ninguém, além dos de sempre.

O rosto de Pati troca de cor, seguindo o tom de uma luz que não se sabe de onde vem. O mesmo acontece com Catarina, ao lado.

Ela diz:

– Sim, Irmão Uéllem, eu tenho certeza... Esse casal...

Irmão Uéllem faz uma careta, esgarça a boca para os lados, como se recebesse um espírito. Cerra os olhos outra vez, solta uns gemidos. Funga, em transe.

– Hum... hum... hum...

E Catarina:

– Ontem... à noite aconteceu algo estranho... – diz. – Tentamos nos comunicar, mas coisas absurdas começaram a acontecer.

– Coisas absurdas, irmã? – Irmão Uéllem mantém os olhos cerrados.

– Sim, Irmão Uéllem. Preciso saber o que eles querem... Na tentativa que fizemos para nos comunicar, pareceu tudo muito confuso. E assustador.

Irmão Uéllem funga mais alto, em transe.

– Entendo, irmã. Hum-Hum. Tudo muito confuso. No início é assim mesmo. Estou tentando identificar quem foram esses espíritos em tempos passados. Mas isso não é fácil...

O rosto de Catarina parece se iluminar por outra luz interna, saída de baixo da pele.

– É um casal que cometeu crimes bárbaros na cidade. Disso tenho certeza. Já fiz uma pesquisa.

– Certeza, irmã?

– Sim, só não sei o que eles querem de nós, de mim e do meu marido. Isso é o que me preocupa agora.

Irmão Uéllem abre os olhos, parece sair do transe. Olha para o computador, mexe no mouse, dá dois cliques.

– Eles têm uma missão para vocês, irmã.

– Missão?

Irmão Uéllem ainda olha para o monitor.

– Sim, irmã. Querem se vingar de quem lhes fez mal quando aqui estiveram, neste nosso plano terreno. Uma vingança, irmã. E vocês serão o objeto pelo qual eles vão perpetrar essa vingança. Certamente, pelo que me dizem os espíritos de luz aqui presentes, estão atrás de alguém que os prejudicou na vida passada.

Todo mundo fica em silêncio.

Pati fica em um ponto obscuro da alternância de luzes do ambiente.

O olhar de interrogação de Catarina chama a atenção de Irmão Uéllem.

Ela diz:

– Que os prejudicou em vidas passadas?

– Sim, e que agora deve estar encarnado em outra pessoa.

– E como vamos saber?

– Aí é que está o problema. Em princípio, façam, você e seu marido, o que for a intuição de vocês. Essa é a primeira regra quando as coisas ainda não estão evidentes. A intuição. Façam o que der vontade de fazer. Por enquanto, não tenho dados suficientes para interpretar o que aqui buscam. É provável que nem eles ainda saibam exatamente o que querem. São espíritos escuros, sem luz, sofredores. Talvez queiram apenas perturbar vocês. É o que veremos. Espíritos sofredores são possessivos. Consideram deles aquela casa e podem estar se insurgindo contra a presença de vocês lá. Mas logo saberemos qual é a real intenção deles, confie em mim.

Irmão Uéllem rola a página do monitor.

– Enquanto isso, por aqui, vou tentando um contato direto com eles. Mas isso não é fácil. Não é da noite para o dia. – Faz uma pausa em busca de ar. – Agora mesmo, eles não estão mais aqui. Sumiram.

Catarina e Pati se olham.

Irmão Uéllem dá um clique no mouse e levanta o rosto.

– Por hoje não há mais nada a fazer, irmã. Insistir em um contato com eles agora só vai estragar as coisas.

Pati se levanta. Catarina também se ergue da cadeira. Irmão Uéllem as observa. O som suave de uma flauta doce invade o ambiente. Uma cachoeira de luzes cai lentamente sobre a cabeça dele, que aproveita o efeito que aquilo causa sobre seu rosto para tornar a maciez da voz compatível com o que elas veem.

– Mas fique tranquila, querida irmã. Não vou deixar que nada de mal aconteça a vocês. Confie em mim.

14

Catarina sai para a faculdade. José fica em casa, sua aula é mais tarde. Aproveita para repassar algumas receitas que pensa em colocar em prática mais adiante, quando se estabelecer como *personal diet*. É a sua grande ambição para depois de formado, montar uma casa vegana e prestar consultoria a quem já é e a quem pensa em se converter e não sabe por onde começar.

De minha parte, aproveitei a noite, enquanto eles dormiam exaustos, depois de uma transa bem pegada na mesa do porão, e entrei em suas fichas, para conhecê-los melhor. Fichas bem organizadas, abastecidas por informações captadas a partir das suas primeiras doses de vacina, arquivadas no computador da Organização.

Quanto a Catarina, fora do que consta na memória do seu chip, avaliando seu comportamento a partir de minhas observações pessoais, posso garantir que oscila entre a euforia e uma espécie de torpor, que a tira do ar por alguns momentos, como se estivesse mesmo possuída por um espírito escuro, para usar as palavras de Irmão Uéllem. Nesses momentos, fica irreconhecível. Tanto no comportamento, um tanto agressivo, quanto na fisionomia, que parece ser de outra pessoa. José às vezes percebe. Chama a atenção dela, que volta a si, como se nada tivesse acontecido.

Na outra ponta da sua bipolaridade, quando está para cima, a mudança no seu estado de espírito, verificada a partir do renascimento da vida sexual com José, não permite dúvidas, até no jeito de andar na calçada. Os cabelos presos em um prosaico rabo de cavalo a deixam ainda mais graciosa, cheia de vitalidade, chamando a atenção inclusive de outras mulheres. Isso pode ser percebido a qualquer hora que se olhe para ela, enquanto caminha na rua, ou quando se senta para estudar ou para ver filmes no sofá da sala de casa. Vive cada minuto desses instantes como se as rotações da Terra dependessem apenas de si, do seu elegante compasso de longas pernas, para estabelecerem com a precisão de milionésimos de segundo os dias e as estações do planeta.

Catarina é um fato consumado na história. Não tenho a menor dúvida. E acho que qualquer um dos personagens que contracenam com ela também têm certeza sobre essa verdade estabelecida.

⚞▬

Naquela manhã, quando Catarina aponta na quadra, os motoboys em frente à hamburgueria Boca Santa imediatamente se agitam. Um assovia para dentro, onde está Manoel, e faz sinal na direção da calçada. O dono do estabelecimento contorna o balcão e vem à porta. Olha para ela, e um sorriso lhe alarga a boca, sem que se preocupe em disfarçar a alegria de vê-la chegando.

Catarina anda mais um pouco, alheia à algaravia deles. Ao ver Manoel a lhe acompanhar os passos, retribui o sorriso. Ele desce o degrau que separa a porta da calçada e ergue a mão direita para saudá-la.

E diz:

– Alô, rainha! Sua encomenda está finalizada. Com a glória e a circunstância que a minha amiga merece.

Catarina fecha o rosto de súbito. Aproxima-se dele. Os motoboys se divertem com a expressão de Manoel, que pareceu se assustar com a mudança repentina dela.

Catarina diz:

– Desculpe, mas que encomenda? Posso saber? Não te fiz encomenda nenhuma.

– Ora, a inclusão de um hambúrguer vegano ao cardápio da casa.

Ela diminui o passo, segue devagar, mas sem intenção de parar.

Manoel fica aflito. Nem pensa em deixá-la passar sem terminar o assunto hambúrguer vegano. Ele sonhou a noite toda com a glória desse momento.

– Você ontem esteve aqui, pediu um vegano, eu disse que ia procurar uma receita para fazer. E você viria provar.

Catarina para de caminhar, olha o rosto de Manoel, aponta o dedo para ele.

– E ficou bom, pelo menos?

Ele parece aliviado. Vira-se para os motoboys com cara de revanche.

– Maravilhoso, todo mundo aqui provou e aprovou.

Um motoboy meneia negativamente a cabeça, às costas de Catarina. Ela entra na hamburgueria, senta-se em um banco junto ao balcão.

– Então me prepare um, por favor.

A reação de Manoel é de quem acaba de saber que ganhou sozinho na loteria. Contorna o balcão quase correndo e acende a chama do gás, sob a chapa do fogão. Enquanto ele trabalha, Catarina retira o atilho com o qual prende os cabelos na nuca e o segura com os dentes, em um canto da boca. Os motoboys a observam. Parecem estar diante de uma televisão vendo o último capítulo da novela. Ela mexe os cabelos, junta-os novamente na nuca, refaz o rabo de cavalo e prende-o com o atilho de borracha. Olha-se em um espelho atrás do balcão. Mexe a cabeça para um lado e outro, vê o próprio perfil, dos dois lados, e se vira para Manoel.

Foi o tempo de que ele precisou para fazer o hambúrguer e colocá-lo sobre um prato, diante dela.

– Que rapidez – ela diz.

E Manoel, fazendo uma reverência ao estilo japonês:

– Esse é um dos segredos desta casa.

Ela pega o hambúrguer.

– Mas nem tudo o que é feito com muita rapidez fica bem-feito.

Ele faz um movimento de negativo com a cabeça.

– Mas aqui nesta casa, não. Aqui tudo é bem-feito, com rapidez, em nome da satisfação do freguês.

Catarina dá uma mordida no hambúrguer, mastiga lentamente, engole o pedaço olhando para Manoel.

– Meu Deus! Nunca provei algo tão delicioso.

E dá outra mordida enquanto fecha os olhos em sinal de prazer.

Manoel exulta. Os motoboys parecem incrédulos. Ou a receita está mesmo boa ou ela finge para agradá-lo. Mas por que uma mulher, daquele nível de beleza, faria toda uma cena somente para agradar Manoel, um sujeito cheirando a gordura, atrás do balcão de uma hamburgueria meia-boca da cidade?

O visto é que Catarina continua comendo e elogiando a iguaria. Até pediu um suco natural, que Manoel se apressou em fazer e colocar diante dela, antes que a cliente terminasse de comer.

– Temos que escolher um nome pra ele, vai entrar no cardápio hoje mesmo.

Ela toma suco e come mais um pedaço.

– Podia ser o seu nome – diz Manoel.

Ela faz sinal de negativo com a cabeça. Coloca o último pedaço na boca, mastiga, toma mais suco, se levanta e caminha na direção da porta.

– Meu nome não se presta para essas coisas! – diz. – Escolha outro mais apropriado.

Dizendo isso, sai para a calçada, sob o olhar desapontado de Manoel e dos motoboys. Eles também não entendem a saída repentina dela.

Catarina dá dois passos na calçada, para e se vira para Manoel:

– Abre uma comanda aí pra mim, que gostei e quero mais.

Uma corrente de alívio percorre o corpo dele. Faz positivo com o polegar, sem saber exatamente o que dizer.

Depois de ela se afastar até um ponto de onde não poderá ouvi-lo, ele diz aos motoboys, fazendo uma dancinha só de cintura, com os pés juntos, grudados no chão:

– Essa aí tá no papo, sangue bom! É só dar tempo ao tempo, que, aliás, é o senhor da razão. Já dizia o poeta.

E continua dançando, enquanto Catarina se afasta na direção do trânsito pesado da avenida Borges de Medeiros.

15

Catarina e José estão na cozinha, sentados à mesa. Começa a anoitecer e uma brisa fresca entra pela janela, vinda do pátio arborizado. Cada um tem um hambúrguer na mão. Ela toma um copo de suco que ele preparou com laranjas frescas e kiwi. Conta a ele que a partir do dia seguinte terão uma opção de comida ali pertinho de casa. O dono da hamburgueria Boca Santa prometeu criar um vegano especialmente para eles. Podem virar fregueses, já que o lugar fica a pouco mais de uma quadra de distância. Ela até já experimentou uma prova e estava muito bom.

– Posso até passar umas receitas para ele – diz José, brincando.

Ela acha uma boa ideia. O dono é bem receptivo a novas iniciativas, pelo que pôde perceber. O veganismo está se ampliando no mundo. Quem se der conta disso e largar na frente, popularizando a oferta, vai se dar bem.

Terminam de comer e Catarina convida-o para saírem outra vez naquela noite. José alega que tem um compromisso. Ele e alguns colegas de faculdade vão gourmetizar uma festa de aniversário. No dia seguinte sim. Ele não tem aula e estará livre. Catarina diz que na noite seguinte tem dois períodos de prática de anatomia. Mas se não for até muito tarde, ela gostaria de voltar à Anjos&Demônios para se divertirem mais um pouco. Havia gostado do lugar.

– Um ambiente propício para despertar os demônios – diz, com um olhar provocativo.

Terminam de comer, José recolhe a louça e vai lavá-la na pia. Catarina se levanta, abraça José pelas costas, beija-lhe a nuca e caminha na direção do quarto. Abre a porta do roupeiro e escolhe alguns vestidos. Ela deixa um separado dos outros e fecha a porta. É quando José entra no quarto. Ela sai sem dizer nada, como se tivesse outra coisa a fazer. Ele abre uma porta do mesmo roupeiro, pega um jaleco branco, de alpaca, e coloca-o dentro de uma sacola. Também sai do quarto.

Passa pela sala, onde vê Catarina sentada, lendo um livro de anatomia. Diz a ela que já vai. A festa fica em Canoas, e eles combinaram de chegar antes do horário marcado para a função começar. Precisam conhecer a cozinha, o ambiente, preparar os ingredientes e planejar a logística do serviço.

Agacha-se e beija-lhe os lábios. Ela retribui com entusiasmo e diz que vai esperá-lo acordada. Ele pisca o olho, sorrindo com malícia.

– Pode esperar. Vou pensar só nisso enquanto estiver trabalhando.

Estou com minha meta na organização NUSE bem adiantada. E por nada desse mundo arredarei meu pé daqui nas próximas horas. A noite promete. Embora a história ainda esteja no início, nesse pouco tempo de – digamos – convívio, aprendi a conhecer Catarina. E não tenho a menor dúvida de que está pensando em aprontar alguma coisa às costas de José. Nem preciso acionar seu chip para entrar em sua mente e descobrir o que pensa. Aliás, esse é o bom de tudo. Ter a opção de entrar no pensamento dos personagens. Mas faço apenas em casos extremos. O bom é ir provocando a curiosidade, igual àquele comercial de refrigerante: provocar a sede ao máximo. Até não aguentar mais.

16

Vou à geladeira e me abasteço de cerveja e comidinhas para beliscar. Organizo tudo sobre a mesa, de um jeito prático, para que eu não precise fazer esforço quando quiser me servir. Ajusto o monitor diante de mim e me acomodo confortavelmente na poltrona. Abro uma lata e deixo o líquido escorrer pela língua, paciente e pronto para ver o circo pegar fogo.

Minha intuição começou a se confirmar tão logo José botou o pé fora. Catarina largou sobre o sofá o livro que fingia ler e se levantou. Foi para o quarto, abriu o roupeiro e experimentou aquele vestido que deixara separado.

Tirou os tênis, deitou-se sobre a cama, de costas, apoiou os pés no colchão e ergueu os quadris. Abriu o botão da calça, baixou o zíper e a tirou, com certa dificuldade. Esse era o jeito mais prático que ela achava para sacar do corpo um jeans muito justo.

Levantou-se e experimentou o vestido. Eu diria que estava perfeito. Mas ela não parecia satisfeita. Depois de algumas voltas hesitantes diante do espelho, tirou-o de volta e jogou-o sobre a cama. Abriu novamente a porta do roupeiro e passou a escolher outro. Nesse momento, flagrei em seu rosto uma sugestão de sorriso. Estava lembrando de algo, pensei. Isso aconteceu quando ela tocou no vestido que usava na noite em que estiveram na boate Anjos&Demônios. E entendi o que se passava em sua cabeça. Não era preciso um chip para entrar na sua mente e entender, em todos os detalhes, o tipo de perfídia que lá se criava.

Ela pôs sobre a cama o vestido vermelho com a longa fenda nas costas virada para cima e guardou o outro. Eu esfrego as mãos e tomo um gole, que desce gentilmente afetuoso e fresco, com o caráter amigável de um pet de estimação.

Fortes emoções estavam por vir, ainda naquela noite.

17

Um táxi percorre as ruas de Porto Alegre. Desce a Ramiro Barcelos e entra à direita na avenida Farrapos. Ali as casas noturnas se sucedem, a cidade ganha outra luz, outra aparência. A imagem de prédios austeros e degradados vistos durante o dia dá lugar a um show de neon, de luzes coloridas e cintilantes. Uma outra dimensão se abre, e é por esse espaço translúcido e colorizado que o táxi avança, em meio a mulheres seminuas desfilando nas calçadas à procura de clientes.

O carro anda mais uns metros e para diante da Anjos&Demônios. Tão logo para, um homem de preto vem abrir a porta. Catarina desce, usando o mesmo vestido da outra noite. O homem a reconhece quando a encara sob a luz direta do neon. Imagina que ela está acompanhada, faz uma pausa, agacha-se para olhar dentro do táxi, seus olhos se encontram com os do motorista, trocam um cumprimento cúmplice, enquanto ela já se dirige à entrada.

Na porta, um homem também de preto a recebe com gentileza. Aponta para dentro, ela entra na frente.

O movimento é menor do que da vez anterior. Mas quem lá está se agita na pista de dança com o mesmo entusiasmo. Nas mesas, alguns casais conversam, muito próximos uns dos outros, roçando os corpos, pernas e braços.

No bar, três homens bebem com os cotovelos escorados no balcão.

O maître recebe Catarina com gentileza, e a conduz a uma mesa discreta, um pouco distante da pista, a pedido dela. Senta-se e vem um garçom perguntar o que quer beber. Enquanto se senta, mira o balcão, sem encontrar Alex.

Pede uísque, água com gás e muito gelo.

– Pois não – diz o garçom em tom respeitoso. – Mais alguma coisa, senhorita?

– Por enquanto só isso. Obrigada.

O garçom nem bem se afasta e ouve-se um burburinho nas proximidades da porta de entrada. A música é interrompida bruscamente. No serviço de som é anunciada a presença de uma pessoa, uma personalidade, um VIP a julgar pela expectativa e movimentação do pessoal de casa.

– *Ladies and gentlemans*, sua atenção, por favor! – diz uma voz masculina, no equipamento de som. A voz sai empostada como a dos locutores de lojas de liquidação da Voluntários da Pátria. – É com alegria, satisfação e orgulho que as portas desta casa se abrem, aqui e agora, para receber o grande, o queridíssimo, o para sempre amigo... – Sobe uma música, um tipo de rufar de tambores, que vai baixando na sequência. – As portas desta casa se abrem, com solene respeito, para receber o amigo... doutor, doutor Ney Darlan da Silveira Borja, vulgo Doutor Borjão, como gosta de ser chamado! Aplausos, por favor! Que este ilustre homem merece!

Sobe o som imediatamente. E, cercado das garotas que correram à porta, entra um homem alto, o tronco imenso, a barriga grande e desproporcional aos quadris e pernas, os cabelos presos num rabo de cavalo e as feições de um viking fora do gelo. À medida que ele avança, em passos marciais, com os braços erguidos e exultante, o volume de outra música aumenta e sufoca todos os sons que se pudessem ouvir naquele momento e lugar.

É Donna Summer cantando "I Remember Yesterday", a todo volume.

Doutor Borjão dança abraçado às garotas. Percorre o palco sob aplausos, gritos e assovios. É estimado e íntimo da casa. Depois do breve desfile, dirige-se a uma mesa de pista, onde se senta, e logo é cercado por outras garotas e um garçom. Ele já vem com um balde de gelo, outro de água e energéticos, uma garrafa lacrada de Chivas Regal, sem trena, e copos.

É nesse momento que Catarina tem um sobressalto e seus músculos estremecem, seguido de um sutil arrepiar da pele por baixo da textura fina da roupa. Sente a mão de alguém lhe percorrer as costas, no espaço demarcado pela fenda do vestido. A mão finaliza o movimento com uma carícia rápida, quase na altura do cóccix. Então, ela ouve uma voz masculina, alguém lhe fala junto ao ouvido, tão perto a ponto de ela sentir o bafejar de um hálito quente e úmido lhe tocando a dobra interna da orelha direita.

– Doutor Borjão... é um benfeitor da casa. Cirurgião plástico, mestre do silicone e da reconstituição de lábios, todos. Mas sua especialidade mesmo são os vaginais... Às vezes se confunde um pouco na aparência entre uns e outros, mas no final das contas tudo fica bem.

Catarina se vira já sabendo de quem se trata. O homem puxa uma cadeira e senta-se. À frente deles, o garçom se aproxima com o seu pedido. Catarina olha para o recém-chegado e ri. Ele também. Parecem conhecidos de outros tempos e espaços. Enquanto o garçom não chega, ela oferece o rosto para um beijo de cumprimento. Ele, no entanto, a segura pelo queixo e a puxa, de modo a ficarem frente a frente. O garçom larga o pedido dela sobre a mesa, Alex inclina a cabeça e a beija na boca. E Catarina, sem manifestar qualquer movimento de recuo, descontrai os lábios e retribui.

Alex faz sinal para o garçom e pede um copo para ele também. Pega o copo recém-servido para ela e, antes mesmo de ela beber, leva-o à boca e toma um farto gole. Estala a língua e devolve o copo à mesa. Catarina também bebe, é um gole que não fica para trás no volume e no prazer. Estão com sede. Ainda não trocaram palavras quando voltam a se beijar. O garçom retorna com o copo e só então eles se separam.

Catarina diz:

– Então, o Doutor Borjão é um benemerente?

Alex olha na direção da mesa onde ele está.

– Sim, faz cirurgias plásticas nas meninas a preços módicos. E gasta muito quando vem à casa. É o cliente que todo puteiro gostaria de ter. E ainda tem boas relações. É amigo da polícia, de dois senadores situacionistas, de um ministro do Supremo e de deputados do Centrão. Até um pastor pentecostal aqui das vizinhanças está na agenda dele. Junta tudo isso numa coisa só, e pode ser recebido com as pompas que você acabou de ver.

– Doutor Borjão, é? Nunca tinha ouvido falar...

Alex pensa um pouco, mas sem deixar de mirá-la na boca, enquanto fala.

E diz:

– Que você é nova na casa dá para perceber. Venho aqui todas as noites e nunca tinha te visto. Mas, para não conhecer o Doutor Borjão, deve ser nova na profissão também.

Ela toma outro gole, tão farto quanto o anterior.

– Novinha, novinha. Se der sorte, hoje farei o meu primeiro programa.

Alex se joga para trás na cadeira, estica os braços, faz uma espécie de alongamento no espaldar da cadeira, ganhando tempo antes de falar.

– E que tipo de sorte você espera, posso saber?

Ela diz, provocante, enquanto mexe o copo para misturar o uísque na água do gelo derretido:

– A sorte de encontrar um homem carinhoso e gentil que, daqui a cinquenta anos, faça lembrar que minha primeira vez foi inesquecível... por ter sido bem-feita.

E ele diz, com um jeito inerente do cafajeste já nascido pronto:

– Então pode contar comigo para o que der e vier. Acho que você é mesmo uma mulher de sorte.

Ela balança a cabeça em sinal de positivo.

– Espero não me decepcionar, Alex.

Ele a mira, como se fosse penetrá-la ali mesmo, na frente de todos. E diz:

– Ainda não sei seu nome, garota.

Ela corresponde com um nível semelhante de despojamento e provocação.

– Não tivemos ninguém para nos apresentar. Melhor assim. Me chamo Raíssa Cat... Cat de gata. Muito prazer.

Ele repete:

– Raíssa Cat... O Cat está muito apropriado, pode ter certeza.

Dizendo isso, ele a puxa para a pista e começam a dançar, abraçados. Ele fala ao ouvido dela. Ela sorri com alegria, e se apertam cada vez mais.

Não demora, e Doutor Borjão os percebe e crava os olhos nela. E esse gesto de cravar os olhos eu vejo como se viesse acompanhado do som simultâneo de uma flecha metálica se cravando na secura de uma parede de madeira. É uma mirada lânguida, contínua, que chega para não recuar, não importando a circunstância. Se de paz ou de guerra.

Vejo aqui no RESIHUC que Doutor Borjão tem chip/antena. Emite bons sinais, sem interferências. E passo a monitorá-lo também. Pelo visto, é um personagem que tem tudo para render um bom material, do drama à comédia.

18

Havia chovido, e o asfalto molhado recebendo as luzes das casas noturnas da avenida, juntamente com uma névoa subindo do chão contra as cores da noite, fazem eu me sentir diante de uma produção de cinema, de um filme *noir* anos 1950.

O carro preto em que estão Catarina e Alex passa ao largo da Usina do Gasômetro e se perde em meio aos faróis dos outros que por ali circulam àquela hora de noite e tomam a avenida Beira-Rio, rumo à Zona Sul. O carro preto, no entanto, segue um caminho diferente. Vai pelo lado de dentro da avenida, entra na rua Washington Luiz, sobe a Espírito Santo, pega a Demétrio Ribeiro e para no meio da quadra.

Catarina diz a Alex que, por segurança, não quer que o carro dele fique estacionado diante de sua casa. Ainda na boate, contou que é casada e dá essas escapadas para se divertir enquanto o marido viaja. Ele entendeu e concordou. Deixou o carro a duas quadras de distância e a abraçou, cheio de expectativas. Disse que é isso mesmo, "segurança em primeiro lugar, garota".

Aliás, nesse momento, eu penso em José. Ainda é cedo, mas o que estaria fazendo àquela hora? E se chegar em casa e der com Catarina na cama com outro homem? Fico propenso a abrir outra janela no RESIHUC e dar uma espiada na festa de gourmetização, para verificar até onde Catarina corre perigo de um flagrante. Pensando melhor, deixo assim. Quero seguir com a expectativa de não saber o que poderá acontecer dali para a frente. Assim, a história fica melhor. E também gasto um pouco de adrenalina. Conhecer o desfecho antes da hora tira totalmente o sabor da surpresa.

Seco uma lata de cerveja, belisco um pedaço de camembert com damascos e me acomodo na poltrona, fazendo jus ao meu caráter de globalista. E paro de pensar em José. Se ele vai ou não dar um flagra na mulher transando com outro, é outra história.

Após descerem do carro, Catarina e Alex seguem caminhando, abraçados, até a rua Fernando Machado. O bairro está deserto. Apenas um cachorro de rua passa por eles, a trote, farejando o chão em busca de comida. Andam meia quadra para a esquerda e entram na casa. Alex observa tudo, prestando atenção em todos os possíveis detalhes. Catarina abre a porta, e eles entram sem acender as luzes. Vão até o quartinho, ela levanta a portinhola no assoalho e convida-o para descer.

– Aqui estaremos livres de imprevistos de última hora – ela diz.

Alex acha tudo muito bizarro. Mas, seduzido pelos beijos dela, pelo seu cheiro apoteótico, pelas carícias que lhe faz no membro enrijecido, o que mais deseja é apressar a chegada ao lugar aonde têm que chegar. E fazerem o que têm que fazer. Para que ela, daqui a cinquenta anos, se recorde desse momento com afeto e saudade, por ter sido bem-feito.

Catarina deixa a luz do quartinho acesa, de forma a clarear indiretamente o porão.

Assim que descem, Alex se surpreende com o que vê e estanca o passo. Ela o abraça com força e lhe oferece os lábios. Ele retribui o gesto, e se beijam. Enquanto não se soltam, ela vai puxando-o para perto da mesa.

Quando se soltam, ele diz:

– Raíssa, o que é isso? Uma casa de torturas?

Ela faz que sim com a cabeça.

– Sim! Mas aqui só é torturado quem não me obedece...

Ele volta a beijá-la.

E diz:

– Então qual é a primeira ordem?

– Tira o meu vestido.

Mas ela é muito bandida, penso aqui comigo, enquanto tomo mais meia lata de cerveja num gole só. Como mais camembert com damascos secos e me concentro no monitor.

Ele acata a ordem. E a deixa só de calcinha. Ela olha-o de muito perto.

– Faça o serviço completo, baby. Caso contrário, vai agora mesmo para a mesa de torturas.

Ele se ajoelha e baixa a calcinha dela. Ao mesmo tempo, com a mão esquerda, ela pega um cutelo que está ao seu lado, sobre a mesa. Na largura da lâmina um reflexo da luz vinda da abertura do porão bate em seus olhos e ela desvia o rosto para o lado. Mira Alex ajoelhado à sua frente, de cima para baixo, volta a receber um reflexo de luz no rosto. E joga o cutelo no chão para abrir espaço na mesa. Quando ele se ergue, sobressaltado com o barulho, ela diz:

– Agora tira a tua roupa. Sem demora, por favor.

Ele obedece, e desiste de verificar o que caiu no chão fazendo aquele barulho desconfortável ao bater nas pedras.

Catarina deita-se de costas e puxa-o por cima. Ele a beija nos seios, vai baixando o rosto até o umbigo. Ela se ergue, contorcendo-se, ele a puxa para a ponta da mesa, fica em pé. Apoia os pés dela nos próprios ombros e a penetra. Ela solta um grito profundo, prolongado, mas que morre ali mesmo, entre as pedras das paredes, o chão e a madeira bruta do teto.

Alex avança os quadris com brutalidade, enquanto ela grita como se estivesse sendo torturada e pedindo socorro, os olhos arregalados, fixos no madeirame acima da cabeça. Ao mesmo tempo, porém, pede para ele não parar. É quando vê uma sombra veloz, que nasce da parede próxima à escada e cruza o teto com uma violência premeditada e irreversível. É apenas um risco escuro passando sobre os dois, sem que se possa identificar o que é. E ouve-se um grito descomunal, desumano, de pavor. Um grito de alguém que encontra a morte, cara a cara, e sabe que não poderá vencê-la, que está entregue a ela e não há nada a ser feito para evitar, a não ser se entregar e morrer. Um jorro de sangue é despejado sobre Catarina, que imediatamente ouve, a seguir, um som balofo já vindo do chão, e o grito pavoroso dá lugar a uma espécie de gargarejo gigante, intercalado com golfadas de algo sendo despejado nas pedras.

Ela se lembra do pesadelo de José. Aquilo parece uma repetição do que ele lhe contara depois, quando o dia começava a nascer e ela tentava acalmá-lo.

Olha para a frente. O seu rosto está banhando em sangue. E pelo filtro avermelhado dos olhos vê José, que ainda segura o machado na mão. A sua expressão é tão medonha que chega a assustá-la. Ele está com os dentes cerrados, para fora dos lábios, como um animal feroz, hidrofóbico. Joga o machado no chão e se ajoelha ao lado de Alex, que agoniza, partido ao meio. O corte lhe partiu a cabeça, desceu pelo pescoço e abriu parte do tronco, até o peito.

José, então, enfia a mão pelo buraco que se abriu no tórax do outro e o revira, no fundo. Depois de algum esforço, puxa algo para fora, ainda pulsante. É o coração de Alex que ele ergue diante dos olhos e no qual dá uma grande mordida, tirando-lhe um naco ensanguentado. Seu rosto cobre-se de sangue. Do sangue de Alex e do seu próprio, expressado sob a transparência da pele enquanto corre nas suas veias a uma estúpida velocidade de cruzeiro. Catarina olha-o amedrontada. Mas ali, naquele instante, para José só existe Alex. Alex e seu coração pulsante, que ele agride com sucessivas mordidas e tapas.

E diz:

– Aquilo não foi um pesadelo! Era tudo verdade, Cata! Eu tinha certeza de que isso ia acontecer! Minha cabeça estava pensando na frente, muito na frente.

19

– O que vamos fazer com ele agora? – pergunta José, deitado de costas, ao lado de Catarina, sobre a mesa ensanguentada. Faz uma cara de nojo e ameaça vomitar. – Era um crápula. E para os crápulas não existe perdão. Nem depois de morto.

Catarina nada diz. Esboça um leve sorriso apenas, representado por um sutil repuxar dos músculos na comissura esquerda dos lábios. Parece satisfeita. Com Alex morto e José ao seu lado, alimenta, sem se deixar trair, um sentimento ainda inexplicável de satisfação.

Ambos estão nus. Seus corpos cobrem-se de uma pasta viscosa de sangue e suor. Aos pés da mesa, jaz o corpo de Alex partido ao meio.

Antes de seguir adiante, preciso fazer uma confissão. Já vi de tudo neste mundo. Sempre fui um homem forte para todos os tipos de bombas e desgraças. Até já matei semelhantes meus. Para falar a verdade, não foram poucos. Mas matei com as mãos limpas, não desse jeito violento, bestial e desumano.

O certo é que aquela cena macabra me engulha o estômago, me arrepia os pelos, a ponto de eu pensar em cair fora, desligar o RESIHUC e encerrar o assunto, esquecer Catarina e José, dar um tempo, me dedicar somente às conversões da NUSE, agora que nossa meta individual de mil talvez aumente para mil e quinhentos convertidos por dia.

Mas uma corrente de sangue quente me arde por dentro e me puxa para o lado oposto à minha fugaz tentativa de civilidade. Se cheguei até aqui, agora vou adiante. É o que decido e faço.

A noite avança. Depois que José se exauriu mordendo o coração de Alex, voltou-se para Catarina. Mas não com a fúria com a qual matara o traidor. Voltou-se para ela com afeto e complacência, o que a surpreendeu. E a deixou tranquila.

José agiu como se ela tivesse sido vítima de Alex, um homem mau, de índole pérfida e sem caráter. E Catarina, que para boba não servia, passou a alimentar essa ideia. De que, no fundo, foi mesmo uma vítima inocente de um cafajeste que, no final, traçou seu destino com o próprio sangue.

Ele abraçou-a e quis saber se ela estava bem. Catarina não se fez de desentendida. Assumiu a posição de vítima e concordou com tudo o que foi dito pelo marido: Alex era um homem mau que se aproveitara da sua inocência e encontrou o que merecia.

Ali mesmo, José a abraçou e a puxou para cima da mesa. E fizeram um sexo sereno, conversado, sussurrado, quando não pouparam palavras para dizerem que se amavam mutuamente. E para sempre, contra tudo e contra todos.

Agora estavam ali, exaustos, apaixonados, sem saberem o que fazer com o corpo de Alex partido ao meio, sobre as pedras geladas do porão.

– Precisamos tirar esse pilantra daqui – diz José, virando sutilmente a cabeça para baixo, na direção do cadáver.

Catarina se ergue de súbito. José, que se distraía olhando o corpo de Alex, chega a se espantar com o movimento da esposa, que imediatamente pula para o chão. Tem aquela expressão já notada por José em outras vezes e achava fora do normal.

Ela diz:

– Tenho uma ideia.

José também se ergue e desce da mesa.

– Vai dar um pouco de trabalho. Mas não há coisa melhor a fazer.

A luz amarelada vinda da entrada, às costas dela, lhe perfila o corpo com uma aura discreta e sensual, que não passa despercebida por José. Pelo contrário. Ele a admira, como se a visse pela primeira vez. Toca-lhe os seios, tem uma ereção. Puxa-a para perto de si, com afoiteza, mas ela o recusa.

– Agora precisamos trabalhar, Zezinho. É a nossa liberdade que está em jogo. Precisamos ter paciência e trabalhar.

Catarina, então, pede a ele que suba ao andar de cima e traga sua maleta de equipamentos cirúrgicos.

– Está no quarto, ao lado da cama.

José entende de imediato. Sorri e lhe beija a boca. Assim que ele sobe a escada, ela se agacha ao lado de Alex. Passa a mão em uma metade de sua cabeça, com carinho.

– Desculpe, meu querido. Não era esse o plano. Estava indo tudo tão bem, né? Jamais imaginaria que o louco ia surtar daquele jeito... Não tive tempo de saber se você é ou não a pessoa que procuramos. Perdão, mil vezes perdão, se teu sacrifício foi inútil. Mas lá em cima, o Senhor das Alturas te recompensará com o Reino dos Céus.

Ri baixinho. Logo ouve os passos de José descendo as escadas e se levanta.

De dentro de sua maleta, retira um bisturi para dissecação. Pede ajuda a José, e eles acomodam Alex sobre a mesa.

Com uma paciência absurda e desumana, ela começa a escapelar o corpo. Em certa altura do trabalho, pede que José vá à cozinha e traga os saquinhos plásticos utilizados para congelar alimentos, de todos os tamanhos e todos os disponíveis na despensa.

José vai lhe alcançando os saquinhos, e ela, colocando a carne dentro. Devolve-os para ele, que os deposita dentro de uma caixa de isopor com gelo. À medida que a caixa fica cheia, José sobe e guarda tudo no freezer, desocupado por ordem de Catarina.

Retorna com a caixa vazia, e eles repetem o processo.

– Vamos perder muita coisa congelada. Mas a prioridade agora é nos vermos livres do cafajeste – diz Catarina.

***

O dia começa a clarear, eu cabeceio de sono quando resta apenas a carcaça de Alex. A última providência tomada por Catarina, já acusando algum cansaço, foi disjuntar os membros uns dos outros, um por um, os pés, as tíbias, os fêmures, a bacia, os braços e as duas metades da cabeça. Com todas as partes reunidas sobre a mesa, eles terminam o serviço. Guardam os restos da ossada em um grande invólucro, um saco plástico que chegou com uma TV

LED 80 polegadas, presente dos pais dela para a casa nova, e que José quis guardar para o caso de alguma necessidade futura.

Catarina esfrega as mãos nas coxas nuas e impregnadas de suor e sangue e dá o trabalho por encerrado.

– Por enquanto, tudo sob controle, Zezinho. Agora precisamos de um banho, de alguma coisa para comer e de um descanso.

José olha para o saco com a ossada de Alex sobre a mesa.

– E isso aí, Cata? Como vamos fazer?

Ela arruma os cabelos desgrenhados sobre os ombros. Puxa-o e caminha na direção da escada.

– Agora ficou mais fácil. Deixa comigo. Vamos tomar banho, comer alguma coisa e relaxar.

Sobem as escadas, os corpos nus escamados de sangue seco refletindo sob finas réstias de luz vindas de cima. Catarina segura a mão de José com carinho. Ele parece um deficiente visual sendo conduzido em meio ao trânsito nervoso da cidade.

Estão ambos deitados na cama de casal. De banho recém-tomado e nus. José acaricia o púbis de Catarina. Ela se encolhe, aquilo lhe faz cócegas, mas gosta. Depois pega a mão dele e a puxa para o lado. Fica segurando-a, num gesto de afeto e atenção.

Ela diz:

– Eu estou com fome. E você?

– Eu não. Mas se tiver alguma coisa pronta, eu como.

Catarina se levanta. Vai até o roupeiro e pega um vestido simples, de algodão. Veste-o assim como está, sem nada por baixo. Enfia nos pés os chinelos que estão ao lado da cama, segura a bolsa e se prepara para sair.

– Aonde você vai? – ele quer saber.

Ela responde, já na porta do quarto:

– Vou ali na hamburgueria trazer alguma coisa pra comer.

Ele se ergue nos cotovelos.

– Mas traz um vegano, Cata! Não aguento mais ver carne na minha frente, por favor.

– Deixa comigo – ela diz e sai.

Dois motoqueiros estão diante da hamburgueria, à espera de chamadas de entrega. Assoviam para Manoel tão logo veem Catarina saindo do portão de casa, na outra quadra.

Ela se aproxima, casual e elegante, dentro de um vestido leve, florido e esvoaçante, sob os olhares dos motoboys e de Manoel, que saiu à porta para vê-la.

– Salve, rainha! – ele diz, quando ela se aproxima.

– Salve, Pirata dos Sete Mares!

Manoel olha para os motoboys, surpresos com a resposta dela. Cochicham entre si. Manoel faz um ar superior e acena para Catarina.

– Temos ingredientes fresquinhos para o seu vegano preferido. Aliás, até já tem nome.

– Não me diga – ela diz, botando o pé direito para dentro.

– Olha lá no painel.

Catarina mira a parede oposta e lê:

OLHOS DA RAINHA, O VEGANO DA CASA

Ela sorri, e seu rosto fica menos cansado da noite em claro e do trabalho de esquartejar Alex.

– Espero que tenha alguma coisa a ver comigo.

Manoel une as duas mãos ao peito, espalmadas, em posição de prece.

– Tudo a ver, rainha!

Ela senta-se em um banco alto, junto ao balcão.

– Então prepara dois, para levar.

– É pra já, grande rainha.

Ele se vira, pega os ingredientes da geladeira, acende o fogo.

– E dois sucos de laranja.

Um dos ajudantes de Manoel se prepara para fazer o suco, mas ele o interrompe.

– Deixa tudo comigo, Tadeu. A rainha é cliente exclusiva. Merece um gerente só pra ela.

Não demora e o pedido fica pronto. Manoel enfia tudo em uma sacola com o logo da hamburgueria e a coloca sobre o balcão. Catarina abre a bolsa para pegar o cartão, mas Manoel a segura pelo braço.

– Nem pensar. Cortesia da casa. Aqui, entre as quatro paredes deste templo de oferendas, a rainha é quem manda. Se o hambúrguer pegar, vamos dividir os lucros.

Aproxima-se para um aperto de mão, como quem sela uma sociedade. Dessa vez, Catarina corresponde.

– Seremos sócios. Olhos da Rainha neles, gente!

Catarina pega a sacola de cima do balcão e solta uma gargalhada. Manoel não estranha o gesto exagerado porque não a conhece. Mas não é o seu normal. Ele gosta daquilo e até acha o tom sensual e apropriado para um momento de avanço no terreno das suas pretensões de conquistador.

– Combinado, sócia.

– Combinado, sócio.

Ela se vira e sai para a calçada, sob o olhar de Manoel, que veio até a porta ao seu lado, e dos motoboys, que agora são cinco, com os dois que chegaram da rua depois de uma entrega.

Manoel vira-se para eles e diz:

– Essa tá no papo, sangue bom! É só uma questão de tempo, tá ligado? Se for preciso, divido todos os lucros da casa com ela, caralho! Pirata dos Sete Mares, vocês ouviram isso?

Os motoboys se rendem ao entusiasmo de Manoel. Esperam Catarina entrar no pátio de casa e o aplaudem.

– Pirata dos Sete Mares! – repete Manoel, o peito estufado de satisfação.

21

Catarina chega em casa e encontra José ainda na cama, prostrado e sem ânimo para se levantar. Diz que não tem mais fome, mas ela puxa-o para fora do quarto. Chegam à cozinha, e a mesa está preparada, com pratos, facas, copos, o suco e os hambúrgueres. Catarina não se lembra de ter feito aquilo tudo, de forma tão organizada. E, mesmo não sendo seu costume, o de arrumar a mesa, José pensa que foi ela quem o fez para agradá-lo.

– Esta é uma receita que o cara fez a meu pedido. E caprichou – ela diz.

José senta-se, desanimado.

Catarina põe um hambúrguer em cada prato e tira um pedaço do seu. Leva-o à boca, mastiga e solta um suspiro, igual aos apresentadores de programas culinários de televisão.

E diz:

– Prova só, e comenta. Demais, Zezinho! Demais!

José dá uma mordida no seu, mastiga com parcimônia. Parece um soldado de guerra que vai pisando em um terreno minado, preparado para a explosão de uma mina a seus pés no passo seguinte. No entanto, sua expressão de enfado e desconfiança vai mudando aos poucos, até chegar a um estado de euforia que surpreende Catarina.

– Meu Deus! – ele diz. – Eu não teria deixado tão perfeito! Diria até que o cara acrescentou alguma coisa nova, que eu desconheço.

Catarina se empolga.

– O Manoel disse que está tendo boa saída. E recém entrou no cardápio, ontem à tarde.

– Acho que vou querer uma cópia da receita.

Catarina dá outra mordida e toma um gole de suco.

– Brincando, ele até propôs rachar os lucros, se der muito certo.

José também toma suco. Come mais. Mastiga com volúpia.

– Nada mais justo. Foi por sua causa que ele botou no cardápio.

Enquanto José fala, Catarina continua a mastigar. De repente, assim como José passou da prostração à euforia, conquistado pelo sabor do hambúrguer, Catarina parece sair do ar de uma hora para outra. Sua expressão se altera de súbito. Seu olhar viaja no espaço, como se abandonasse o corpo. Segura o copo de suco em uma mão, um pedaço de hambúrguer na outra. Fica igual àquelas estátuas vivas de cidades turísticas, que só se mexem para agradecer quando uma moeda tilinta em um pires a seus pés.

Ele continua, ignorando-a:

– Depois de pronta, uma receita parece muito fácil. Mas achar o ponto, a quantidade de ingredientes, a sua proporção para que todos os temperos sejam sentidos em paralelo, sem que um anule ou interfira sobre o outro, às vezes custa uma vida inteira... – José faz uma pausa para observar Catarina, alheia ao que ele diz. – Eu ainda vou acertar a mão, pode acreditar, amor.

Ela continua estática, o olhar fora do corpo e sem movimento, parado como o de um cadáver plantado ao pé de uma geleira do Alasca.

– Cata, o que houve!?

José tem que estalar os dedos diante do seu rosto para ela sair daquela espécie de transe. Ri quando desperta.

Uma sombra passa na parede, atrás deles. A impressão é de que há uma terceira pessoa no ambiente.

– Acabo de ter uma ideia – ela diz, enfiando um pedaço de hambúrguer na boca e agora mastigando com pressa.

Termina de comer enquanto José ainda está na metade. Toma o resto de suco e se levanta. Vai até o freezer e tira um pequeno saco plástico com a carne de Alex dentro. Ainda não estava totalmente congelada.

– Com esse tempero que você está estudando, até capim picado vai ficar bom, Zezinho.

José continua comendo, sem se dar conta do que está para acontecer. Só percebe a intenção de Catarina quando ela põe uma tábua de guisado sobre a mesa e, com um cutelo afiado, passa a picar a carne em pedaços minúsculos. Depois, bate o fio sobre o guisado, até ele se transformar em uma pasta. Joga um pouco de farinha e um ovo em cima, separa em três, faz pequenas bolas, como almôndegas, e amassa-as para que fiquem em forma de bifes redondos.

Só então José começa a entender o que se passa. Arregala os olhos, vai falar, mas não consegue.

Ela percebe e diz:

– Não adianta ficar com essa cara de bichano que viu o capiroto, Zezinho. É uma questão de vida ou morte. Ou achamos o que fazer com ele, sem dar bandeira, ou vamos apodrecer na cadeia.

– Mas Cata! Você não está pensando...

– O que você prefere, Zezinho?

– Você está pensando em... é sério? Deve existir outro jeito, Cata.

Ela termina de fazer os bifes.

– É isso mesmo o que você está pensando. Pega lá os teus temperos e traz aqui.

– Mas Cata!?

– Vai! – ela grita, com uma autoridade assustadora. – O resto deixa comigo.

José se levanta, ainda sem se convencer. Mexe-se sem tirar os olhos da tábua de guisado, onde jazem os três bifes que, fora do seu contexto recente, parecem exatamente isto: três bifes de carne moída, sem qualquer referência sobre o lugar de onde vieram e de como chegaram até ali, se atraídos por uma força gravitacional extraordinária operada a partir do cosmos ou do fundo dos infernos, ou por conta própria, ou ainda pela mão de um demônio escondido nas sombras indecifráveis da casa.

22

Manoel acaba de liberar três motoboys para entregas, dois com pedidos de Olhos da Rainha. Eles aceleram as motos e tomam a direção do Alto da Bronze. Manoel enxuga as mãos no avental e começa a limpar a chapa onde foram feitos os hambúrgueres. Quando o som das motos se distancia, ele ouve uma voz vinda da rua.

– Pirata dos Sete Mares, olha só quem está vindo para cá!

Manoel sorri. Mesmo antes de chegar à porta, já sabe de quem se trata. Quando olha para a outra quadra, a vê atravessando a rua Espírito Santo com um pacote na mão. Ele a espera com o coração acelerado. Está levando a sério aqueles flertes e já planeja um jeito de abordá-la de forma mais incisiva. Por experiência, nessas coisas de química entre os corpos, não dá para dar tempo ao azar. Esse tipo de mulher é por demais volátil. Daqui a pouco se encanta com outro e ele dança.

– E nunca mais – ele sussurra para si mesmo.

Ela se aproxima e entra. Ele lhe dá espaço e grita enquanto ela passa.

– Salve, rainha!

Catarina senta-se no mesmo banco em que esteve antes. Larga o pacote sobre o balcão.

– Tenho uma parceria para te propor, Pirata.

Ele gosta daquele tipo de objetividade em mulheres bonitas. Ficam ainda mais atraentes e fatais. Só no singelo ato de abrirem a boca já parece que estão pedindo para serem traçadas.

– Fala, grande rainha!

– Preparei dois bifes de hambúrguer e trouxe para você experimentar. É uma receita de minha bisa húngara, que veio da Transilvânia, no século passado, e foi passando de geração para geração...

– Um vegano vindo da Transilvânia? – brinca Manoel. – Essa é meio forte, rainha!

Ela não esperava aquela tirada engraçada, e ri com surpresa. Então diz:

– Não! Este é de carne. Carne pura. Aliás, sobre o vegano, se o Olhos da Rainha der certo, não quero participação. Neste aqui sim. Por se tratar de uma receita de família, eu penso em monetizar.

Manoel pega o pacote.

– Monetizar... Você tem conhecimento de como as coisas funcionam, hein, rainha? – Abre uma ponta do pacote e espia dentro, com um olho só. – Então vamos conferir o poder dessa preciosidade.

Leva um dos bifes ao nariz, aspira fundo, faz uma expressão de prazer.

– Uau! O aroma está ótimo.

Vira-se para o fogão e acende a chama.

– Com esse tempero não tem como dar errado. Até carne de cavalo fica boa.

Muito interessante a dinâmica dessa história. As coisas parecem que vão se encaixando ao natural, por conta própria, igual a um romance policial. Desde que Catarina saiu para comprar o desjejum, eu já estava pensando nisto: uma janela se abre aqui no meu monitor do RESIHUC e vejo três policiais e uma viatura, a três quadras da hamburgueria, na rua Demétrio Ribeiro. Eles vistoriam um carro preto, vidros com filtro escuro. É o carro de Alex, que ficara ali, por orientação de Catarina, para se precaver de possíveis desconfianças do marido caso o visse estacionado na frente de sua casa.

Está em local não permitido, e sem demora chega um caminhão-guincho. Sob a supervisão dos policiais e de curiosos, o carro é erguido até o caminhão. O motorista se despede dos policiais, entra no veículo e segue em direção à Borges de Medeiros. Antes de voltarem para a viatura, os policiais conversam entre si, examinam uma planilha, fazem algumas anotações. Depois embarcam e saem, na mesma direção do guincho.

Na hamburgueria, Manoel termina de fritar o primeiro bife e exulta com o aroma que sai da chapa. Usando uma espátula de metal, coloca-o sobre um prato e, com certa pompa, leva-o até o balcão, de onde Catarina o acompanhou com expectativa. Enquanto larga o prato, Manoel aspira fundo, fecha os olhos e diz, com entusiasmo:

– Com um aroma desses, não tem como não estar saboroso, grande rainha. Não vai sobrar pro cachorro.

Entrega um par de talheres a Catarina e manda ela se servir. Catarina recusa com delicadeza.

E diz:

– Você é quem tem que provar. Para sacramentar a nossa parceria. Se não gostar, retiro a proposta.

Manoel solta um sorriso de orelha a orelha.

– Já disse e repito: aqui neste templo de boas intenções quem manda é você, grande rainha. E o que vem das tuas preciosas mãos não tem como falhar, tá ligado?

Trincha o hambúrguer com o garfo e corta um pedaço. Mira-o bem de perto, olha-o de um lado e outro, depois o leva à boca. De olhos fechados, mastiga lentamente. E, aos poucos, seu rosto vai se iluminando de prazer.

– Vou te falar a verdade, rainha. De coração mesmo: nunca na vida inteira provei coisa tão saborosa. E olha que eu já botei muita coisa nesta boca, aqui neste mundo velho. – Estala a língua e corta um segundo pedaço. – Magistral, rainha! Espetacular! Um verdadeiro manjar dos deuses! – Pisca o olho para ela. – E das deusas!

Pega outro par de talheres e traz para Catarina.

– Isso precisa ser compartilhado. À altura de uma verdadeira deusa. Para selarmos nossa parceria. Até vou abrir um espumante.

Catarina pega os talheres, corta um pedaço e leva-o à boca. Mastiga com vagar, mas sem o entusiasmo de Manoel, que a contempla com alegria.

– Realmente – ela diz. – Está muito próximo do que a minha vó preparava.

Manoel tira mais um pedaço, pega o segundo bife e joga-o na chapa. Uma nuvem de vapor saído da fritura sobe para o exaustor. Em seguida, ele volta ao balcão com a carne fumegante.

E diz:

– Você vai, então, me passar a receita?

Ela come mais um pedaço.

– Não. Vou te propor uma sociedade da seguinte forma: eu forneço os bifes prontos. Você me compra e os vende da forma que quiser.

Manoel não hesita. Estende o braço para selar o acordo.

Ela corresponde.

– Negócio fechado, grande rainha.

– Daqui a dois dias, posso te entregar uma partida suficiente de bifes para iniciar o negócio. Aí você já pode colocá-los no cardápio.

– Você é quem manda, poderosa rainha – ele diz e começa a comer o segundo hambúrguer. – Bocadão da Rainha!

Ela faz que não entende.

Ele repete:

– Bocadão da Rainha, é como vai se chamar.

Ela parece gostar, mas se contém. Não quer dar sinais de euforia exagerada. O entusiasmo explícito de um lado às vezes estraga um negócio. A outra parte pode se aproveitar disso e levar vantagem. Continua comendo, e diz:

– É um bom nome, pirata.

Manoel, por sua vez, não disfarça a alegria.

– Sucesso na certa. Conheço o mercado. Vai por mim, rainha.

Ela diz:

– Deus te ouça!

Ele dá uma nova mordida no hambúrguer, de um jeito que lembra um crocodilo abocanhando uma ave descuidada que passou voando baixo sobre a lâmina da água.

23

As coisas andaram corridas por aqui, na organização NUSE. George Sorkos convocou um grupo de Iluminatis de notório saber, mais Barack Obama, Macron, Boris Johnson, Angela Merkel e Xi Jinping, e colocou as cartas na mesa. O problema é o Brasil. Um grupo de homens de bem está trancando o seu projeto de dominação planetária.

Por meio das redes sociais e manifestações de rua, esses brasileiros autoproclamados patriotas são uma pesada pedra no sapato da NUSE. Impedem que um número maior de vacinas seja aplicado e assim prejudicam a implantação maciça de chips e retardam o controle que projetamos ter, em curto prazo, sobre o livre-arbítrio da população brasileira.

Durante a reunião, foi impossível me concentrar. O tempo inteiro minha cabeça ficou lá embaixo, em Catarina e José e nos bifes de carne de gente aprovados por Manoel. O que posso dizer, sem me alongar, é que medidas fortes serão tomadas pela NUSE.

Mas o que quero, agora, é seguir os passos dos meus personagens, nem que meu emprego corra perigo.

Por causa dessa reunião, minha narrativa simultânea ficou prejudicada. Então, retomo a história no passado até ela se reencontrar outra vez com o presente, com base no que ficou gravado no RESIHUC.

Naquele dia mesmo, em que fechou o negócio de fornecimento de bifes, Catarina alugou um carro e, ao entardecer, foram, ela e José, até a Ilha da Pintada, próxima do centro, no outro lado do rio. Em um lixão, desovaram as vísceras de Alex. Os ossos, eles cimentaram em uma cova aberta por José no fundo do quintal. Acharam que era um risco. Mas não havia outra maneira de escondê-los. As vísceras em pouco tempo seriam devoradas pelos bichos. Combinaram, no entanto, que comprariam um moedor. Aquele encontrado por eles no porão era muito antigo e não funcionava. E trazer alguém para consertá-lo seria dar bandeira demais.

Quanto ao Bocadão da Rainha, estava indo bem. Manoel era uma euforia só cada vez que Catarina ia à hamburgueria lhe entregar uma nova leva de bifes. Mais uns dias e seria preciso ir atrás de mais insumos, para usar uma palavra da própria Catarina.

– Uma pessoa não dá tanta carne quanto parece, Zezinho – disse ela, olhando o freezer quase vazio.

E decidiram que não era hora de recuar. Tinham embarcado naquela vibe, precisavam ir até o fim. Catarina era a mais segura quanto à necessidade de dar continuidade ao negócio. José ia a favor da enxurrada, sem entusiasmo, como se tivesse medo de contrariá-la e, com isso, quebrar a estabilidade recuperada no relacionamento conjugal. Para ele, as coisas estavam indo bem entre ambos, e isso era o que importava.

– Mas quem, Cata? – perguntou ele, como quem pergunta sobre contratar uma diarista de confiança para limpar a casa.

Catarina passou a mão no rosto do marido, com afeto, e disse que tinha uma ideia. Mas precisava da sua ajuda. Era importante a presença dele no acompanhamento dos trabalhos. Para dar credibilidade aos seus movimentos.

– Você não precisa fazer nada além do que já fez, Zezinho.

Ele apenas ouvia, sem ainda lhe cair a ficha.

Ela continuou:

– E que fez muito bem-feito, por sinal.

É preciso dizer, agora, que, nessa altura, já haviam dado falta de Alex na Anjos&Demônios. Afinal, tratava-se de um notório cafetão da cidade que sumira de uma hora para outra, sem dar notícias nem deixar rastro. E isso não era compatível com seus hábitos. Jamais seria. Podia faltar uísque e energético no balcão da Anjos, mas Alex jamais. Não tirava o olho do seu negócio, alimentado pela quase totalidade das garotas da casa. Sempre dizia, entre um gole e outro, entre amigos e fregueses, enquanto olhava a pista e exultava com o bom fluxo de garotas acompanhadas:

– O olho do patrão é que engorda o gado.

As informações existentes sobre ele eram duas: a primeira, que saíra da boate sozinho, por volta de duas da manhã, há quase uma semana, e não fora mais visto.

O fato de ter saído sozinho se explica por um cuidado tido por Catarina, pouco antes de decidirem ir para sua casa: de marcar com ele a três quadras além da boate, onde, de fato, se encontraram. O argumento dado a Alex, por ele aceito de pronto, foi que, por precaução conjugal, ela não queria ser vista saindo de um puteiro acompanhada de um desconhecido. Aquela expressão "precaução conjugal" o excitou ainda mais. Como todo cafetão de berço, além de estar conquistando uma futura preciosidade para seu catálogo, Alex se sentiu metendo corno em um santo marido, que, naquelas alturas, estava ganhando honestamente o pão de cada dia para sustentar a família. Um caso assim contava pontos na vida de um proxeneta, tanto a íntima como a pública, para contar aos amigos e concorrentes.

A segunda informação era de que seu carro fora localizado na rua Demétrio Ribeiro, bairro Cidade Baixa, na manhã seguinte à madrugada em que fora visto saindo sozinho da boate. A polícia técnica fizera uma minuciosa vistoria, mas nada de extraordinário encontrara. Apenas as impressões digitais do próprio Alex, nas duas portas, no painel, guidão, alavanca, lugares onde fora preciso manusear para dirigir. Catarina certamente teve o cuidado de não tocar em nada enquanto estivera com ele. As outras impressões foram de duas meninas de seu caderno, que estiveram antes com ele, mas que ficaram na boate até fechar, fazendo programas, e foram direto para um restaurante das proximidades, frequentado por prostitutas e cafetões depois do trabalho.

Catarina, portanto, estava limpa. Um garçom se lembrava de Alex ter bebido uísque com uma garota de fora, durante um tempo. Ela havia pagado a conta em dinheiro e ido embora, ainda no início da madrugada.

A última pessoa com quem ele falara foi o Doutor Borjão. Mas esse, depois da segunda dose de uísque, nunca se lembrava de mais nada. Nem que enfiara incisivamente a mão pela fenda do vestido de Catarina, até ela se virar e pedir para ele parar. Fizera aquilo enquanto ela dançava com Alex, que viu, mas nada fez. Disse a ela apenas que Doutor Borjão era assim mesmo. Que não desse importância, ficaria tudo bem.

Um garçom, no entanto, teria notado um início de discussão entre os dois, antes de Alex sair e nunca mais ser visto. Doutor Borjão chegou a ser ouvido. Mas tinha álibi, além de não se lembrar de nada, como era seu hábito depois da segunda dose.

O álibi era consistente. Ele ficara na sua mesa cativa de pista até o fechamento, indo a seguir, junto com as garotas da casa, tomar sopa de mocotó no restaurante onde costumavam ir sempre, depois do fechamento da boate. Até fora protagonista de um início de confusão. Uma travesti usando uma babylook vermelha, com "Inter" escrito no peito, também *habitué* do restaurante, chegou e, ainda da porta, antes de entrar, gritou para provocá-lo:

– O Grêmio não tem mundial!

Doutor Borjão, um gremista fanático, que em seu consultório médico atendia na cadeira cativa que fora sua desde criança, no extinto estádio Olímpico Monumental, se sentiu ferido com aquilo e partiu para o revide. Não demorou, tudo foi resolvido. Mas o episódio ficou registrado de forma a não deixar dúvidas de que ele estivera ali até o dia clarear e chamar um táxi para deixá-lo em casa.

Tomando como base as primeiras diligências policiais, Catarina poderia se considerar limpa de suspeitas. Com o caminho livre para novas investidas, se fosse seu desejo. E era, é seguro que se diga.

24

Os dois terminam de jantar. Ela pega um caderno de anotações e começa a ler. Diz que está acabando o estoque de bifes. Precisam agir imediatamente. Manoel a chamou naquela tarde e expôs sua preocupação. As vendas estavam aumentando, e ele não queria ficar sem matéria-prima. Era o pior que poderia acontecer a um negócio que começa a deslanchar e a ganhar vida própria. É o fim do mundo, para um investidor, o freguês pedir algo do cardápio e o vendedor se ver na circunstância de dizer que não tem. Aquele hambúrguer não será vendido, além do risco de o freguês nunca mais voltar. E ainda espalhar o caso aos amigos e inimigos.

Catarina se levanta da mesa, José vai tirar os pratos e lavar a louça.

Ela diz:

– Vamos nos arrumar para a noite, Zezinho, que hoje teremos trabalho.

José faz que sim com a cabeça, abre a torneira.

– Qual é o plano, Cata?

– Hoje vamos voltar à Anjos&Demônios.

Ele para de lavar um prato e se vira para ela. A torneira fica escorrendo no vazio. José acha que voltar ao local é perigoso demais.

– Eles já nos conhecem lá. Fomos juntos uma vez e você foi uma segunda. Certamente já estão procurando pelo pilantra. E você o conheceu lá...

Catarina passa a mão espalmada na face dele, um costume antigo, de quando quer lhe demonstrar afeto. E diz que está tudo bem pensado e planejado, ele não precisa se preocupar à toa.

– É a missão que vai se cumprir, Zezinho.

– Missão? Que missão?

– Agora temos uma missão. Juntarmos dinheiro com esse negócio dos bifes e melhorarmos a vida, até nos formarmos.

De súbito, ela fecha o semblante, transtornada, mas em silêncio. Contempla-o por trás, com um olhar sombrio, que ele não percebe porque voltou a lhe dar as costas.

Reposiciona o prato embaixo da torneira, mas ainda cético.

– Tudo bem, mas o que você imagina fazer? Você não acha que é dar bandeira demais pegar uma segunda pessoa lá? A polícia vai ligar uma coisa com a outra.

Catarina sorri e o abraça por trás. E repete que está tudo bem pensado. Ela sempre foi boa nisso, nos planejamentos sobre ações futuras de realizações pessoais. Além do mais, já lera muitos livros de CEOs impulsionadores de carreiras. A primeira lição é: ame-se. Acredite em si mesmo, no seu projeto, no seu potencial. Depois convença os outros de que ele é viável. E se prepare para o sucesso.

– E eu acredito, Zezinho – ela diz. – Eu acredito no nosso projeto. No nosso potencial. E me amo muito. Muito mesmo.

Ele segue concentrado na lavagem da louça.

Ela continua:

– Se não for lá, terá que ser em outro lugar. E lá a gente já sabe como as coisas funcionam. Além do mais, alguma coisa me diz que o que procuramos está lá. Não vai ser preciso pisar em terreno desconhecido, onde os riscos são maiores.

Como sempre, José acaba concordando. Larga aquele prato no escorredor e pega outro. Simultaneamente, ela se vira para ir ao quarto se arrumar.

Antes de sair, para na porta. Uma sombra que parece ser a dela também para, desenhada no branco da parede. Mas, se forem comparadas as posições, a dela é projetada a partir da lâmpada do teto, enquanto a segunda se forma sem que haja uma fonte de luz apropriada do lado oposto. Seria de uma terceira pessoa que estaria ali com eles, sem que a percebam.

Catarina diz:

– Além do mais, quem está fazendo esse link é você, que conhece a história por dentro. Eles correm por fora, nem imaginam ligar uma coisa com a outra. Fica frio. Estamos com o corpo fechado.

Na hamburgueria, àquela hora, o movimento é grande. À noite é quando os pedidos aumentam, especialmente as entregas em casa. Manoel abre o freezer e conta quantos bifes de Bocadão da Rainha ainda há em estoque. Faz uma cara de preocupado. Às suas costas, o ajudante Tadeu o acompanha com os olhos.

Manoel diz:

– Pra hoje ainda tem. Mas se até amanhã à tarde a minha rainha não trouxer mais, vai faltar.

No fogão, outro empregado prepara uma combinação de dez hambúrgueres. Sobre uma mesa ao lado, um terceiro vai colocando em recipientes de isopor os que já estão prontos. Passa-os aos motoboys, que pegam a encomenda, leem o endereço de entrega e saem em alta velocidade.

Manoel vai para um canto, pega o celular e digita alguma coisa.

O burburinho é intenso. Além dos motoboys sendo abastecidos para a entrega, há os fregueses no balcão e na calçada, do lado de fora. Comem em pé e bebem no bico das respectivas *long necks*, em uma algazarra que pode ser ouvida de longe.

Manoel termina de digitar algo no telefone e volta a coordenar os trabalhos, perto do fogão. Está animado com o movimento, mas se preocupa com a possibilidade de faltar bifes no dia seguinte.

***

Catarina sente o telefone vibrar em cima da cama. Pega-o e olha a mensagem que chega.

OI RAINHA PRECISO DE MAIS BIFES P AMANHÃ SEM FALTA MEU ESTOQUE AQUI TÁ TERMINANDO

Catarina digita a resposta:

Pirata, ainda tenho um pouco em casa, amanhã cedo deixo aí. À tarde chega mais. Tudo resolvido, deixa comigo. beijocas

Larga o telefone sobre a cama. Vai para a frente do espelho terminar a maquiagem. José entra no quarto e se surpreende.

– E essa peruca loira, Cata?

Ela olha José às suas costas, através da imagem do espelho.

– Você mesmo não disse que a gente não pode dar bandeira?

Ela se vira para ele.

José se afasta um pouco para vê-la melhor.

– Realmente, Cata! Até eu diria que não é a mesma pessoa.

– Então te arruma e vamos lá. Os bifes estão no fim, o Manoel acaba de me enviar um WhatsApp. Está preocupado, com medo que falte. Os pedidos estão aumentando. Sucesso total, meu querido.

Antes de José se vestir, ela pega de um porta-joias uma correntinha de ouro, com uma medalha de Nossa Senhora, e pede para ele prendê-la atrás do seu pescoço. José faz o trabalho com agilidade. Quando termina, aproxima o nariz da nuca dela e aspira profundamente o ar, de olhos fechados para melhor apreciar o cheiro. Depois se afasta e vai se vestir. Catarina caminha de um lado a outro. Olha-se no espelho, admirada com a própria transformação.

José termina de se arrumar, ela puxa-o pela mão e apaga a luz. Ele se aproxima dela, a enlaça por trás, enche os pulmões de ar e renova o prazer que lhe causa o cheiro dela. Seus pelos ficam eriçados e elétricos. Por ele, ficariam em casa, viveriam um para o outro pela eternidade e esqueceriam para sempre aquela história macabra de hambúrgueres feitos com carne de gente. Era um risco muito grande voltarem ao local do crime. Ainda mais se o objetivo fosse cometer mais um.

25

Eles preferem o táxi ao Uber. No Uber, todos os detalhes da corrida ficam registrados, os endereços de partida, de chegada, o trajeto e o nome do cliente, e isso não é bom, disse Catarina a José, em tom didático, antes de saírem de casa. Por iniciativa também dela, embarcaram em uma transversal e desceram a duas quadras antes da boate.

Caminham pela calçada, abraçados como um casal de namorados apaixonados. Catarina usa um vestido justo, mais discreto que o anterior, sem a fenda nas costas, sandálias prateadas e de tiras até a canela. José veste um casaco preto de terno, camisa social branca, calça jeans tradicional e sapatênis marrom com solas brancas. A intenção é serem discretos, sem abrir mão de serem atraentes em um lugar aonde as pessoas vão em busca de prazeres e, para isso, precisam estar bonitas.

Apesar de chamarem a atenção durante a caminhada, principalmente dos seguranças das casas noturnas e das mulheres que atraem clientes para esses lugares, não são molestados. Mesmo sem aparecer, há ali uma vigilância severa sobre o cumprimento de um código de proteção à noite, assinado por todos, que impede atos de violência ou assaltos. É um investimento que vale a pena na relação custo-benefício e deixa a clientela segura. Se alguém for assaltado naquela área, a tendência é que não volte mais. E assaltos à noite na região são péssimos para os negócios ligados ao proxenetismo.

Na frente da Anjos&Demônios, ao notar a aproximação dos dois, um segurança vai ao encontro deles e os recebe com cortesia. Leva-os até a porta e eles entram.

O primeiro detalhe percebido por Catarina é que Doutor Borjão já está na casa, bebendo em uma mesa de pista, rodeado de garotas. Elas bebem junto e se comportam como uma espécie de pajens a lhe agradar no que for preciso. Nesse momento, uma delas esfrega os seios em seu rosto, enquanto ele faz uma expressão de falsa surpresa, e as outras riem e batem palmas. Por isso, o médico não vê quando Catarina e José passam ao lado, acompanhados pelo maître. Vão se sentar a uma mesa intermediária, no lado oposto à porta.

Eles fazem o pedido. Não demora, o garçom vem servi-los. Não o mesmo que os atendera anteriormente. Nem quando estiveram os dois nem quando Catarina esteve só.

Um show de striptease começa no palco. Doutor Borjão não dá a mínima para a apresentação. Outra garota senta-se no seu colo, de costas para ele, e ele lhe segura os dois seios com as mãos em concha e canta:

– Até a pé nós iremos...

Assim que termina o show, começa a música de pista. E as mesas ficam quase vazias. Todos vão dançar, inclusive Catarina e José; ela o puxa pelo braço, e eles têm que desviar de quem está no caminho. É quando Doutor Borjão os vê e se põe em alerta. Pergunta a uma das garotas se ela conhece a loira. A moça diz que não.

Catarina e José dançam separados e depois juntos, ela agarrada ao pescoço dele, como uma menina apaixonada em baile de debutantes. Doutor Borjão se levanta, puxando junto a garota do seu colo. Vão para a pista. Enquanto dançam, ele procura os olhos de Catarina. Ela percebe, mas deixa o barco correr. Quer vê-lo o mais impaciente possível. Sente que quando seus corpos se aproximam, ele lhe passa a mão nas nádegas. Primeiro de forma discreta. Depois, sem se preocupar se alguém pode estar vendo. Até que tira um cartão de visitas do bolso da camisa e mostra a ela. Catarina movimenta a cabeça em sinal de positivo. E sorri, molhando os lábios com a língua. Então ele se aproxima e ajusta uma ponta do cartão entre os dentes dela, que ainda dá uns três passos de dança, com o cartão na boca, antes de pegá-lo e fechá-lo na mão.

Doutor Borjão exulta. Agarra a garota que dança com ele e a ergue sobre a cabeça. Faz alguns malabarismos com ela, põe-na embaixo de um braço, depois no ombro, equilibra-a no ar. Percebe-se que é um homem de compleição avantajada. A garota é esbelta e forte, e ele faz aquilo tudo sem se esforçar, chega a erguê-la com uma única mão, como se carregasse uma boneca Barbie.

Finalmente, larga a garota em pé na pista, e continuam a dançar, agora separados.

Catarina e José voltam para a mesa. Servem-se de bebidas e descansam. Ela enxuga o pescoço com um lencinho de papel.

No outro lado, Doutor Borjão também se acomoda em seu lugar, com o séquito de garotas no entorno. Chama o garçom e pede mais uma rodada de bebidas.

– E filé xadrez. Com fritas, mostarda, ketchup e molho tártaro pra todo mundo – ele grita.

Assim que se aproxima a meia-noite, a boate começa a lotar ainda mais. Catarina diz a José que já podem ir embora. O serviço está bem encaminhado.

Ele estranha.

– Como assim, Cata?

Ela lhe pisca o olho direito, cujo rímel começa a escorrer discretamente junto ao suor, e diz:

– Vai por mim, Zezinho. Minha intuição me soprou algo no ouvido agora, dizendo que estamos na pista certa. Doutor Borjão... pode ser o cara que procuramos.

– Que procuramos?

– Sim, amor. O nosso negócio nos espera.

Pressiona o calor dos lábios em sua orelha e sussurra que as redes estão jogadas ao mar. Agora é só ter paciência que o peixe vem por conta.

Cada um toma mais uma dose de uísque com água e gelo. Ficam abraçados, beijam-se e tocam-se. Quem os vê dirá que estão passando do prazo de subirem para um quarto do andar de cima. Catarina, porém, sugere que ele peça a conta. Já podem ir embora. José chama o garçom e acerta tudo. Paga em dinheiro vivo, conforme planejado por Catarina.

26

Doutor Borjão está na pista, seguido por várias garotas. Tem na cabeça um chapéu de viking, com duas guampas grandes pintadas de verde e amarelo. Apesar do calor, veste um colete de pele animal, que vai até abaixo dos quadris. Com os braços levantados, cantam uma marchinha de carnaval, acompanhados pela boate inteira. Puxa um trenzinho, no entorno da pista, seguido pelas meninas. Aquele é uma espécie de ritual inventado por ele para comemorar quando um cliente pede um espumante acima de dez mil reais. Virou tradição na casa. Até as garotas acompanhadas largam os respectivos parceiros para integrarem o Trenzinho do Doutor Borjão.

Catarina está em casa, sentada no sofá, com os pés apoiados num pufe de couro. Pede a José para lhe servir uma dose de uísque com gelo e água com gás. Ele prepara dois copos e vem se sentar ao lado dela.

Catarina pega o copo. E olha o telefone, com expectativa.

Terminado o ritual, o Trenzinho do Doutor Borjão se dispersa na pista, e ele vai descansar. Tira o colete de pele, mas fica com os chifres de viking. Toma o que há de resto no seu copo e despeja mais bebida e gelo em cima. Uma garota chega à mesa com uma toalha e lhe tira o chapéu de guampas. E passa a enxugar sua testa e os pelos dos braços. Nesse momento, ele sente o telefone trepidar no bolso. É a segunda mensagem que chega. Na primeira, ele estava na pista, puxando o trenzinho, e não ouviu.

Pega o telefone e lê o que está escrito:

Oi querido! O que acha da gente se ver ainda hoje? Consegui despistar meu amigo. Mas não queria voltar aí. Precaução boba, eu sei, mas... Acho mesmo que um lugar mais íntimo... seria melhor pra nós... Me responde, mesmo que seja um não. Aí eu vou dormir... com os anjos...

Beijinhos...

Raíssa Cat

A primeira reação dele é de precaução. Aquela mulher o deixara em estado de êxtase, nas duas vezes em que a vira, ali na Anjos&Demônios. Até tivera uma pequena discussão com Alex por causa dela. Ao abordá-lo, Doutor Borjão foi muito transparente, como sempre fora nos negócios entre ambos envolvendo mulheres. Sua intenção era saber informações sobre a menina, se era nova na casa, se estava no catálogo dele. Ficara interessado além da conta, disse.

– E você sabe, Alex, dinheiro com mulher e com cafetão para mim nunca foi problema – acrescentou.

Mas o outro ficara alterado. E começaram uma discussão. Alex até alegou uma questão de ética, afinal, a mulher, mesmo sendo prostituta, estava com ele, numa relação que não se configurava como profissional, de proxenetismo. E isso não dava a Doutor Borjão o direito de ficar metendo a mão na bunda dela, faltando com respeito a ele, um profissional conceituado em toda a região.

Doutor Borjão foi responder na altura que ele entendia ser a correspondente para o caso – "ora, um proxeneta falando em ética" –, mas decidiu esperar.

O que é do homem o bicho não come, pensou lá com ele, deixando o caminho livre para Alex naquela noite. Mas ia ficar à espreita; não comentou o assunto com ninguém, ciente de que em uma segunda oportunidade ela não lhe escaparia. Mesmo tendo Alex no caminho, o que agora não era mais o caso.

Depois de refletir um pouco, pegou o telefone do bolso e escreveu:

Também acho que um lugar íntimo é tudo o que nossos corações em chamas precisam para o momento. E que lugar seria esse Preciosa?

<hr />

Catarina exulta. Mostra a mensagem para José, que também se alegra, a ponto de abraçá-la e lhe dar um longo beijo nos lábios com sabor de uísque. Secou seu copo e serviu mais uma dose. Catarina também pediu mais.

Agora prefere uma mensagem de voz.

– *Amei o "preciosa"... que bom que você concordou comigo, amore. Quando duas pessoas atraídas visualmente à primeira vista querem a mesma coisa ao se falarem a seguir... é porque o amor vai vencer... vou te esperar daqui a vinte minutos na frente da pizzaria Milho Verde, que tem ali na esquina da Borges com a Fernando Machado... Beijo, fofão... te espero.*

Com o telefone colado ao ouvido por causa do barulho, Doutor Borjão termina de ouvir o recado e se levanta. Avisa a garota mais próxima que precisa atender a um paciente, com urgência.

– É coisa grave – diz.

Acena para o garçom, que lhe responde com um sinal de positivo com o polegar. Acompanha-o até a saída. Doutor Borjão repete o que dissera segundos antes à garota. Na frente da boate, um segurança chama o primeiro táxi da fila, que encosta na calçada para ele subir.

O táxi atravessa o viaduto da Borges de Medeiros e se aproxima da pizzaria, que já está com as portas fechadas. Doutor Borjão não avista ninguém no entorno. Pede para o taxista deixá-lo na frente. O táxi para, o motorista acha estranho ele descer ali e pergunta se quer alguma ajuda. Doutor Borjão faz que não com a cabeça.

– Tudo tranquilo, meu querido. Tenho um paciente passando mal, naquele prédio.

Nesse momento, passa um carro da polícia em baixa velocidade, com o giroflex ligado. As luzes se refletem no retrovisor e criam um efeito de cores no rosto do taxista, que ainda não parece seguro.

– Essa área aqui a esta hora é meio perigosa, doutor.

Doutor Borjão já está na calçada e acena para dentro do táxi.

– Obrigado, meu querido. Eu domino tudo isso aqui. Vai com Deus.

O motorista se convence e dá a partida. O táxi arranca na direção do viaduto dos Açorianos. É quando, da entrada de um prédio, sob a sombra de uma marquise, sai Catarina, de peruca loira e a mesma roupa com a qual estivera na boate minutos atrás. Sua sombra espichada se projeta na calçada, junto aos pés de Doutor Borjão.

Quando a vê surgir, iluminada pelo neon da pizzaria, ele abre um sorriso de fora a fora, de dentes amarelados e irregulares, o que lhe acentua ainda mais os traços de um puro viking.

Ele está feliz. E ela também. Ou melhor, ela sabe fingir muito bem.

27

Chegam à casa de Catarina depois de uma caminhada rápida, na qual Doutor Borjão parecia exageradamente preocupado em memorizar todos os detalhes do caminho e dos prédios pelos quais iam passando. Catarina percebeu aquilo e até achou engaçado, por causa da sua inutilidade. Mal sabia ele que jamais passaria ali outra vez para pôr à prova a eficiência de sua memória de elefante.

Entraram, e quando ela acendeu a luz, ele já levava a mão por baixo do vestido para procurar a calcinha de Catarina.

Ela se esquiva, vira-se para ele e lhe beija a boca. Um beijo rápido, mas molhado e quente.

– Calma, Fofão! Você está parecendo um adolescente...

Tudo o que Doutor Borjão odiava na vida era mulher chamá--lo de adolescente na hora em que ele se empolgava. Até já havia dado umas porradas em algumas por conta dessa perfídia, como chamava. Mas essa ele ia deixar passar, pensou, enquanto Catarina puxava-o pelo braço, na direção do quartinho.

– Por conta da novidade, essa passa – diz, baixinho, para ela não ouvir.

Estressar-se por que, com uma beldade daquelas segurando-lhe a mão, para levá-lo à alcova da própria casa, enquanto uma noite de sexo e loucuras os espera para os segundos seguintes? *Só se eu for louco*, pensa.

Antes de levantar a portinhola, Catarina se abraça ao pescoço dele, dengosa, o corpo quente e entregue, e sussurra:

– Mas se o doutor faz tanta questão, aqui já pode tirar, eu deixo.

Ela se agacha para abrir o compartimento que leva ao porão, e os traços precisos de suas nádegas se desenham, pela pressão do vestido, em uma exaltação explícita à beleza e à sensualidade. Ele, então, se afasta sutilmente para vê-la inteira, submissa em seu próprio domínio, em aberta disponibilidade para todos os pecados ali premeditáveis. Enfia-lhe as mãos por baixo do vestido e a visualiza naquela posição de deusa, por alguns segundos. A seguir, quando ela já se erguia para ficar ereta, ele lhe baixa a calcinha até os tornozelos.

Ela puxa-o para bem perto de si, e eles descem as escadas de mãos dadas.

É preciso dizer que Doutor Borjão, naquele momento, ou mais precisamente desde a noite em que a conhecera na companhia de Alex, não reconhecia, em pensamento, nada à sua volta que não fosse ela, Catarina e sua beleza estonteante, o corpo de musa, a pele de boneca, as expressões espontâneas de luxúria vertidas dos poros a cada sutil movimento de membros e corpo.

Certamente por isso, por se negar a conhecer o mundo posicionado em volta de Catarina quando ela se situa ao alcance de seus olhos, é que não ocorre a Doutor Borjão a ideia de observar o caráter grotesco e bizarro do ambiente. O que sua consciência faz, na verdade, naquele instante de glória, é travar uma renhida batalha contra o tempo. Quer o quanto antes ver Catarina nua, à sua disposição, as pernas abertas, para saciar todas as vontades despertadas em si em mil pensamentos, até chegar ao lado dela.

Ciente de seu poder sobre ele, Catarina puxa-o até a mesa com espontaneidade. Ele não resiste, pelo contrário, entende que aquilo é tão somente parte de um contrato preestabelecido, assinado livremente entre as partes, que, para existir, só precisa ser cumprido conforme manda a lei natural dos animais humanos. E a lei nesse caso é não olhar para a mesa, para os lados, para o chão onde se espalham objetos estranhos a um cenário de amor e luxúria. A lei é não fazer nada além de cultuar o corpo de Catarina ao alcance de um toque das mãos, tão logo se decida por isso. Ele está possuído pela beleza dela, e essa submissa dependência não o preocupa. Pelo contrário. É motivo de regozijo, de orgulho e de entrega.

Catarina saca o vestido e ele a vê nua, sob uma réstia de luz vinda do teto. Empurra-a sobre a mesa e lhe abre as pernas. Começa a beijá-la nos seios e baixa a cabeça, sem macular o andamento precioso do tempo. Enquanto Catarina se revira e geme, ele se livra da própria roupa, coloca a mulher de costas, de joelhos sobre a mesa, e avança sobre um terreno que já considera de sua real propriedade.

Doutor Borjão solta um grito horrendo e inquantificável, como se o espírito estivesse sendo arrancado do corpo a fórceps e o penetrado fosse ele. Catarina torce o pescoço para trás, pensando que José, enciumado com a cena, tivesse atacado antes da hora. Mas não, era o grito primal de Doutor Borjão potencializado pela felicidade; era o excesso de prazer que ele deixava explodir na garganta, sem repressão de qualquer espécie.

Os movimentos continuam em ritmo crescente, de quase desespero. Numa certa altura, ele grita:

– Isso é loucura demais! Meu Deus do céu! Me diga se não é!

E faz um giro brusco com o corpo, adiantando o tronco e a cabeça na direção da orelha direita dela. Não quer perder nada de tudo o que seja possível e impossível naquela noite de gloriosa conquista, na qual tem nas mãos a maior e mais preciosa joia já garimpada no universo da Anjos&Demônios e adjacências. Quer lhe beijar a boca, sentir sua saliva e o molhado na abertura de seus lábios. Esse movimento brusco, de lateral, em busca do rosto de Catarina, ele faz no exato instante em que cruza o ar o machado de José, que ia lhe partir ao meio. Em função do inesperado, da mudança de posição quando o machado já estava no ar, em vez de lhe acertar a cabeça, José acerta-o no ombro esquerdo. O médico solta outro berro que estremece os alicerces da casa, e pula para o lado da mesa, com o machado cravado no corpo.

Sua pele pinga suor. Os olhos estão arregalados e deles sai um brilho demoníaco, que, a propósito, é compatível com o cenário e seus ornamentos macabros ali distribuídos. Doutor Borjão demora alguns segundos para agir. Não tem ideia do que acontece. Só se dá conta de que tem um machado enterrado entre o ombro e as costas quando sente o seu peso de ferro e passa a mão.

Catarina vai se virando aos poucos, ainda sem saber o que ocorreu. Até então, como estava de costas, ao ouvir o grito de Doutor Borjão pensou que tudo se consumava como haviam planejado. Todavia, ao vê-lo em pé, tentando arrancar o machado do corpo, pula para o lado oposto e procura por José, mas nada vê.

Seu corpo nu estremece de medo quando observa os olhos de fogo de Doutor Borjão, saltados para a frente, envoltos em várias pequenas veias brilhantes de sangue. Quanto mais ele tenta puxar o machado, mais o sangue se espalha pelo corpo e rosto. Catarina tenta correr para as escadas, mas ele a puxa pelo braço. Ela cai. Ele a pega de novo e a obriga a ficar em pé, diante de si.

– O que está acontecendo aqui, piranha!?

Sua voz sai cavernosa, ou parece assim perante a perplexidade e o medo de Catarina.

Nesse instante, ouvem um barulho de correntes de ferro despencando no chão. Ele se volta para o lugar de onde veio o som. Consegue, depois de outro urro, tirar o machado do ombro. Catarina tenta segurá-lo, mas ele lhe dá uma cotovelada no rosto, que a joga ao chão. Um jorro de sangue lhe sai pela boca. Ela contrai o corpo, as pernas tremem. Está morrendo. Fica assim mais uns segundos e se aquieta, igual a um pássaro morto.

Doutor Borjão avança na direção do barulho, o machado na mão, pronto para o golpe, para revidar o ataque. Segue alguns passos à frente e vê o vulto de José embaixo das escadas. Ele segura um cutelo na mão e ameaça o médico.

– Não se aproxime – grita José, mais pelo pavor do que por confiar no efeito de sua advertência.

Doutor Borjão nada diz. Rilha os dentes apenas. Avança igual a um trator de esteira na brita, pouco se importando com a arma portada pelo inimigo, se um cutelo, uma metralhadora ou uma bomba de efeito moral. José tenta escapar pelo lado, mas o outro lhe corta a saída com a perna e chuta-o para a frente. José se escora outra vez no pé da escada, sem ação. Está encurralado, no canto de duas paredes.

– Filho da puta! Queria me matar? – grita Doutor Borjão.

Suspende o machado sobre a cabeça.

– Então toma, demônio das trevas!

E ergue o machado para baixá-lo sobre a cabeça de José.

Ouve-se outro grande urro, que ecoa nas paredes de pedra, e vai e volta em uma sequência de reverberações igual a de um animal selvagem recém-capturado se debatendo numa jaula de aço. É um grito de outro mundo, talvez até mais poderoso que o de Alex quando José o acertara em cheio, ali mesmo, poucos dias atrás.

José olha na direção da mesa, e ainda está lá Catarina, nua e ensanguentada, estendida no chão, inconsciente, talvez morta. Ao mesmo tempo, despenca à sua frente o corpo quase partido ao meio de Doutor Borjão, gorgolejando sangue e ainda repuxando uma perna para a frente e para trás. Cai quase por cima de José. E fica, ainda com vida, uma parte da cabeça caída para um lado, a outra para o outro. O sangue jorra aos montes, como a água de um hidrante arrebentado na calçada.

José se levanta e vai até Catarina. Sente que ela ainda respira. Deita-se a seu lado e a abraça, com medo de que esteja mesmo morta. Mas ela vai reagindo aos poucos ao abraço dele. Demora para se dar conta de que, agora, depois do pavor, está tudo de volta ao que era antes.

Abraça José com mais força. E lhe beija a boca suja de sangue, enquanto ainda ouvem, vindo do pé da escada, um último gorgolejar de sangue saindo de dentro do corpo imenso de Doutor Borjão partido ao meio.

1

(Se o meu querido seguidor quiser pular este capítulo e ir direto ao 2, pode fazê-lo. Mas advirto: lá no final, detalhes contidos aqui podem lhe fazer falta para a correta compreensão do desfecho. Não se esqueçam, vocês estão tratando com uma criatura má por natureza, Zìnìdt Otten, que faz da maldade a fonte *in natura* de suas múltiplas forças – todas irretorquivelmente pérfidas e indignas.)

Os últimos meses foram muito atribulados aqui na organização NUSE. Estamos em um período pré-eleitoral no Brasil, e o país, nesse momento da história, vem a ser a menina dos olhos da cúpula globalista sino-ocidental. Fomos convocados para uma imersão a fim de tratar do assunto. Aquilo parecia não ter fim. Muitas medidas foram tomadas, muitas estratégias definidas, muitas análises feitas, o que roubou tempo demais para as minhas expectativas.

Uma das medidas radicais adotadas envolve aquele porão de uma pizzaria de Nova York, idealizado por pedófilos internacionais, parceiros da causa, e que era usado para os nossos encontros ordinários. Com a nova ordem, precisou ser abandonado, devido à falta de estrutura. Por ironia do destino, a cúpula da organização opera agora em um confortável escritório da Trump Tower, em pleno coração de Manhattan.

Preciso dar essa explicação por uma razão simples: para que os que aqui me acompanham entendam o rumo a ser tomado por minha narrativa, a partir deste estágio. Em função da falta de tempo, nesses dias de imersão profunda, foi necessário dar uma guinada de direção, percebida já nos primeiros parágrafos do próximo capítulo.

Trata-se de algo apenas formal. A essência da história será a mesma. O que faço agora é tão somente abandonar aquela narrativa simultânea aos fatos, feita no presente, no calor dos acontecimentos, como se fosse uma transmissão ao vivo. Passo, então, a organizar uma narrativa feita a partir do passado, de fatos já acontecidos.

Todos os passos de Catarina e José, assim como de seus interlocutores, ficaram aqui arquivados, no meu terminal RESIHUC.

Neste momento, em que gozo de merecidas férias, desfrutadas com prazer em uma paradisíaca praia de Cuba, aproveito para seguir adiante. Penso em contar tudo até o fim, sem interrupções, com a vantagem de ser mais objetivo. Deixarei de lado os fatos irrelevantes e difíceis de serem filtrados no calor das ações.

***

(E não se esqueçam: sigam Zìnìdt Otten onde ele estiver. Ele os fará felizes para sempre. Na medida do possível e se for de seu interesse – o dele.)

Como vimos, Doutor Borjão valorizou o trabalho. Em compensação, pelo seu porte, rendeu uma boa partida de bifes para a hamburgueria Boca Santa. A sua captura foi um alívio para Catarina e José. Com um bom estoque de bifes, poderiam se dedicar mais a suas respectivas atividades universitárias, o foco de suas vidas até então.

Mesmo assim, Catarina tinha momentos de total desligamento das realidades do cotidiano. Hostilizava José e dizia que ele precisava ser mais objetivo e persistente nas suas ações. Apenas ela estava se arriscando, trabalhando e organizando os planos de ambos para o futuro. Daquele jeito não encontrariam o que procuravam. Ela sentia falta de uma maior definição de rumos para a sua vida. Chegou a pensar em recorrer ao Irmão Uéllem da Luz para pedir ajuda. Sentia-se perdida. Só sabia que precisava seguir adiante, à procura de algo que não sabia exatamente o que era.

Em outros momentos, parecia de volta a si e à razão. Foi num desses estágios de racionalidade e lucidez que o casal chegou a pensar em encerrar ali aquela história macabra que, em certos momentos, chegavam a duvidar de que estivesse acontecendo. Que eles já tivessem cometido dois assassinatos, da maneira como foram feitos, que estivessem transformando a carne dos mortos em saborosos hambúrgueres e que um bom número de habitantes da cidade, muitos autointitulados pessoas de bem e tementes a Deus, já haviam virado canibais.

Essa última parte, no entanto, de imaginar pessoas comendo carne humana sem saber, excitava Catarina ao extremo, a ponto de, dependendo de onde estivesse, atacar José para fazer sexo na hora, algo selvagem e desproposital. Para chegar ao clímax, às vezes até a um orgasmo múltiplo, bastava imaginar um cidadão de bem, que tem porte de arma, que vive pronto para sacá-la em nome da sua defesa pessoal, que não aceita ser contrariado nas suas opiniões; para ela era uma glória suprema imaginar um desses cidadãos comendo e apreciando, feliz da vida, um pedaço do cafetão Alex, ou de Doutor Borjão, um pária aproveitador de mulheres, o emérito restaurador de xerecas das putas da boate mais famosa da cidade.

Eram momentos de sublimação, ela não podia negar.

Ao mesmo tempo, tirando o contexto sexual, em momentos de razão e lucidez, ela confabulava com José a possibilidade de fechar a conta a partir de Doutor Borjão e esquecerem tudo, talvez até se mudarem para outra casa, para um apartamento. Mas no dia em que trataram objetivamente dessa alternativa, quando se sentaram à mesa para uma discussão séria, tiveram que voltar atrás, pelo menos temporariamente.

Durante um café da manhã, quando falavam da intenção de largarem aquele projeto e voltarem à vida normal, coisas estranhas imediatamente começaram a acontecer: sombras pesadas circularam pela casa sem que houvesse uma causa, às vezes pareciam ser as deles, mas não eram, se confrontadas com suas posições no contexto do ambiente. Ao movimento das sombras se seguiam sons estranhos, desconcertantes, assustadores, vindos não se sabia exatamente de onde.

José dizia:

– Cata... será que não é hora mesmo de a gente parar? Quando boto a cabeça no travesseiro às vezes me bate o pavor. Matamos dois seres humanos... E as pessoas estão comendo a carne deles, sem saber... Por nossa culpa... Por mim, eu paro agora mesmo, e botamos uma pedra em cima de tudo.

Catarina ia ouvindo e concordando com a cabeça.

– Também estou pensando nisso. É mesmo a hora de parar. Até já tenho uma desculpa para dar ao Manoel.

Após essa fala, imediatamente ouviram um grito vindo do subsolo, seguido de batidas fortes na porta da frente. Ficaram em dúvida se iam ao porão ou ao lugar de onde procediam as batidas. Mas outro grito monstruoso veio na sequência, agora da porta. Quando Catarina foi ver o que era, encontrou um machado cravado na madeira. Não demoraram a perceber que se tratava do mesmo machado do porão, com o qual Alex e Doutor Borjão haviam sido assassinados.

Catarina disse:

– É o machado lá de baixo, Zezinho!

José estava com os pelos dos braços arrepiados e passava a mão neles. Fez que sim com a cabeça.

– E como veio parar aqui, amor!?

Catarina arrancou o machado da porta e o entregou a ele. Pensou um pouco, ar reflexivo no rosto.

– Isso é um recado, Zezinho. Não é hora de parar.

Ficaram tensos e amedrontados. E não voltaram mais a pensar em desistir. Pelo menos em voz alta.

Aliado a esse fato, havia, ainda, as circunstâncias em que Doutor Borjão fora assassinado. Com uma machadada certeira, potente, que não fora desferida por nem um nem outro. José era o alvo, e Catarina estava semimorta, do lado da mesa, depois de um cotovelaço. Então, a coisa tomava proporções sobre as quais eles não poderiam mais interferir. Se quisessem se ver livres da besta, teria que ser por meio de uma estratégia bem pensada, assessorados por profissionais, talvez um exorcista, com conhecimento e prática nesses assuntos macabros.

Firmaram uma espécie de pacto com um poder medonho que não podiam contrariar, essa era a verdade.

Quando voltaram à mesa para terminar o café, ficaram ainda mais amedrontados e tensos. Todas as facas da casa, antes guardadas na gaveta de talheres, estavam cravadas na tábua de guisado, em forma de cruz. Ao lado, bem visível, pousava a folha do caderno que usaram na sessão do copinho, dias atrás, em que se lia: "SIM ESTAMOS AQUI. E QUEREMOS VINGANÇA".

Em outro plano, a polícia começava a se mobilizar. Alex e Doutor Borjão haviam sido vistos pela última vez na boate Anjos&Demônios, Alex saindo depois de conversar e beber com uma mulher desconhecida, vista ali uma única vez, segundo as primeiras apurações, e Doutor Borjão, que saíra às pressas, chamado por um paciente, de madrugada, para, a exemplo de Alex, nunca mais voltar.

O taxista que fazia plantão na frente da boate e era conhecido do médico, por lhe prestar serviços com frequência, se apresentou voluntariamente para prestar depoimento. Revelou o que sabia. Passo importante para a polícia, a partir dessa revelação, era localizar o tal paciente que o tirara de madrugada da boate, coisa inédita na sua vida de médico até então. Até porque era um cirurgião plástico especialista na harmonização de lábios vaginais.

A investigação ainda não fizera uma relação entre os locais em que foram localizados o carro de Alex, rua Demétrio Ribeiro, e o endereço no qual o taxista deixara Doutor Borjão, a esquina entre Borges de Medeiros e Fernando Machado, a pouco mais de uma quadra de distância. Mas não demoraria a fazer.

A polícia também se empenhava em diligências para encontrar o telefone de Doutor Borjão, o que, pelo que sabemos, vai ser impossível. Fora triturado junto com parte de seus ossos e cimentado no quintal da casa. Um fato levado em conta também é que o telefone de Alex não havia sido localizado.

A polícia chegou a procurar a família dos dois. A de Alex morava na fronteira, na cidade do Alegrete. A mãe era viva, mas não tinha notícias dele havia mais de cinco anos. Seus dois irmãos, um mais velho, outro mais novo, também não se lembravam nem da última vez em que estiveram juntos.

O nome de Alex entre eles, no entanto, percebeu o policial que os interrogou, causava inegável desconforto. Não que o motivo fosse sua atividade em Porto Alegre. Disso eles não sabiam e nem faziam questão de saber. Mas por tudo o que ele aprontara na cidade, desde quando começara a se dar conta de que, nas falcatruas e nas filigranas da vida, podia ser um homem independente. Foi um alívio quando se mudou para Porto Alegre. E não era de se estranhar, segundo a família, que seu fim fosse compatível com sua falta de caráter, bem conhecida deles.

– É meu filho, mas nunca prestou, doutor – disse a mãe. – Quando saiu da cidade, foi uma bondade de Deus. Rezo todas as noites para que tenha criado juízo. Mas não me iludo. Na cidade grande, as oportunidades disponíveis são muito maiores a uma pessoa que se esforça para não prestar.

Doutor Borjão era separado. Vivia sozinho num apartamento do Baixo Floresta e não tinha ninguém por si, a não ser as putas da Anjos&Demônios. E, mesmo assim, somente por causa do dinheiro que despejava para elas todas as noites.

Os vizinhos não souberam dizer nada sobre ele, a não ser que era gremista fanático, que berrava a plenos pulmões quando o Grêmio fazia um gol, mesmo que o adversário fosse a Sapucaiense; era médico e parava pouquíssimo tempo em casa. Com a ex-mulher não foi possível obter qualquer informação relevante. Não o via desde a separação, havia mais de quinze anos, o que para ela era uma divina graça de Deus.

– Vocês não se davam bem no casamento? – perguntou o delegado Deunísio Gonzagas.

– Nem era o caso de não nos darmos bem. Sentíamos era ódio recíproco de um pelo outro.

– A senhora teria motivos para matar o Doutor Borjão?

Ela riu.

– Toda mulher, pelo menos uma vez na vida, terá tido um bom motivo para matar um homem, senhor delegado.

O delegado também riu.

– Mas, digamos, especificamente, a senhora...

Ela o interrompeu.

– Motivos pessoais, o senhor quer dizer? Esses eu tive desde a nossa noite de núpcias.

– E por que não o matou?

– Por pura ingenuidade, delegado.

– Ingenuidade!?

– Sim. Achei que, se matasse aquele pilantra, ia apodrecer na cadeia. Que nada. Até com um advogadozinho de meia-tigela para me defender eu estaria solta no dia seguinte. É a Justiça que temos.

O delegado voltou a rir. E deu o depoimento por encerrado.

Ao se despedir, ela ainda disse, para que não pairassem dúvidas sobre o nível de apreço nutrido pelo ex-marido:

– E se por acaso encontrarem aquele crápula, nem me avisem. Se morreu, enterrem bem enterrado que é pra não ter perigo de voltar. Em nome de Jesus!

– Em nome de Jesus! – repetiu uma espécie de dama de companhia que estava presente no depoimento, com um copo de uísque na mão, às costas da depoente.

***

Informação importante é que, naquele meio-tempo, logo após o assassinato de Doutor Borjão, Catarina e José adquiriram um novo freezer e uma máquina de moer ossos. Isso os ajudou bastante, pois puderam guardar também seus congelados de rotina, já que faziam as refeições em casa.

Numa certa tarde, durante um intervalo mais prolongado de aula, na faculdade, Pati veio dizer a Catarina que Irmão Uéllem da Luz queria vê-la. Tinha novidades importantes sobre o seu caso e estava preocupado. Havia tentado contato por telefone, mas Catarina não atendia. Ela reconheceu que, naqueles dias, estivera muito "atrolhada de problemas" e andara evitando atender ligações desconhecidas.

Combinaram de fazer, naquela tarde mesmo, uma visita a ele. O irmão estava ansioso, confidenciou Pati. Catarina achou uma boa oportunidade de conversar sobre os fatos ocorridos na casa, as sombras, os barulhos, os gritos que vinham assustando a José e ela. Mas sempre com um pé atrás. Primeiro ia tocar no assunto de longe, com discrição, para ver até que ponto poderia confiar em Irmão Uéllem e até onde poderia ir nas revelações a ele.

Minutos após, mudou de ideia e chegou a hostilizar Pati por ter lhe apresentado a ideia de irem visitar o Irmão. Até que Pati a convenceu do contrário, em um momento de descontração, às vésperas de uma aula de anatomia, atividade que sempre provocava entusiasmo em Catarina e a tornava dócil e cordata. Mesmo assim, até saírem para a visita, ela oscilou entre um vai não vai interminável e irritante, que tirou Pati do sério, a ponto de quase se pegarem no tapa, à saída da aula.

Na sequência, como em um passe de mágica, Catarina decidiu que precisava ir. Queria mesmo ver Irmão Uéllem e ter uma conversa olho no olho com ele. E aquilo pareceu a Pati algo extraordinário e contraditório, pelo tom agressivo de sua fala. Catarina falou como se ele fosse um inimigo, do qual precisava se livrar imediatamente.

3

Irmão Uéllem da Luz as recebeu com exagerada sisudez. Ele mesmo arrumou as cadeiras para elas se sentarem diante de si. O ambiente não pareceu tão iluminado quanto da outra vez. Apenas uma luz indireta às suas costas lhe delineava o perfil da cabeça lisa, contornada por uma linha arroxeada, lembrando um fino fio de neon projetado sobre uma parede escura de tijolos.

Ele disse:

– Que bom que você veio, irmã Catarina – disse, e encheu os pulmões de ar. – Descobri alguns fatos importantes sobre seus hóspedes.

Pegou o mouse do computador, movimentou-o para os lados e deu um clique. Então voltou a falar:

– Comecei meu trabalho pelo endereço que você deixou na ficha. – Foi soltando o ar junto com as palavras. – O homem e a mulher vistos aqui, te acompanhando naquele dia, estão de posse de você e de seu marido. Entraram em seus corpos e passaram a comandar o teu livre-arbítrio. E vocês precisam se libertar deles, antes que algo ruim aconteça.

Catarina olhou para Pati, que olhou de volta.

– É isso mesmo o que estou pensando, irmão.

Uéllem continuou:

– Agora mesmo eu os vejo aqui, de plantão, às suas costas. Claramente querem evitar que seus interesses sejam contrariados. Eles me olham com olhos belicosos e ameaçadores, pois já me tomaram como inimigo número um. E sabem que sou forte. Mas eu não os temo. Tenho minhas forças. As forças que vêm do Pai Maior das Alturas. O bem vencerá o mal. Mas tudo vai depender de você, irmã Catarina.

Catarina pensa no que vai dizer, mas Irmão fala antes dela.

– Primeiro você precisa se submeter a um trabalho de livramento. Seus corpos, seu e do seu marido, precisam ser limpos. Só depois das carnes livres das contaminações vindas das trevas, é que vocês poderão receber de volta os seus espíritos de luz.

Fazem um silêncio que parece combinado. Irmão fita o rosto de Catarina com gravidade. Embora tudo o que tenha dito feche com os fatos reais, com o que ela conhece e pressente do caso, sente-se desconfortável diante dele. Olha para Pati, que movimenta discretamente a cabeça em sinal de sim, de que deve aceitar o oferecimento.

Nesse breve espaço de tempo, Irmão esteve de cabeça baixa, os olhos semicerrados, recitando uma espécie de prece, de palavras incompreensíveis e sussurradas.

Catarina procurou o olhar dele, mas foi em vão.

Então disse:

– E o que eles querem de nós, Irmão?

Ele se manteve calado por mais alguns segundos.

– Que vocês sejam os executores de uma vingança que, há um século e meio, alimenta a fome de seus espíritos sem luz.

– E que vingança seria essa?

Catarina estava assustada, com medo.

– Que vocês matem e transformem em comida para os porcos a pessoa em quem reencarnou o delegado que os prendeu e os desmoralizou publicamente, na encarnação anterior deles, quando ficaram conhecidos como Os Linguiceiros da Rua do Arvoredo. Segundo eles, isso ocorreu de forma injusta. Eles dizem que foi tudo mentira. Nunca fizeram linguiça de ninguém. E agora querem se vingar de quem mentiu sobre eles. A começar pelo delegado que os investigou.

– Então é isso?

– Sim.

– E quem é essa pessoa?

Irmão Uéllem se concentrou outra vez. Encheu os pulmões de ar. Esvaziou-os devagar, estudando cada palavra que ia pronunciar.

– Aí é que está, irmã. Eles não sabem. Ninguém sabe. Vai ser uma procura insana e cruel se vocês continuarem possuídos por eles.

Catarina ficou pensativa, calada.

Irmão Uéllem voltou a falar.

– E então, irmã, vamos fazer o trabalho de livramento?

Catarina respondeu sem vacilar:

– Eu aceito, Irmão. – Virou-se para Pati. – Acho que está mesmo na hora de acabar com esse horror.

O Irmão ergueu o rosto, agora lavado por uma luz que lhe deixava o semblante mais leve, menos anuviado.

– Eu tinha certeza disso, irmã. Até porque, tudo o que faremos será para o seu bem. O próximo passo será a irmã frequentar a nossa igreja. Mas isso a irmã só fará se quiser, o importante agora é a sessão de livramento.

Dizendo isso, ele se levantou. Antes, enquanto falava, tirara de uma gaveta da mesa três potes com líquidos dentro, cada um com uma cor diferente, que ganhavam contraste a partir da luz vinda do computador.

Remexeu cada um dos vidros diante da luz, como se quisesse ver o que havia dentro deles. Juntou-os na palma da mão e se dirigiu a Pati.

– Irmã Pati, você vai nos dar licença. Precisamos começar agora mesmo o trabalho de livramento da irmã Catarina. Antes que o inimigo tome a dianteira e comece a trancar nossos caminhos.

Pati se levantou com intenção de sair da sala. Ele fez que não com a mão espalmada.

– Não, minha querida irmã. Pode ficar. Precisamos apenas da sua paciência para nos aguardar aqui, enquanto estivermos na Sala de Livramentos.

Fez sinal para Catarina se levantar.

Ela obedeceu.

Ele apontou para uma porta no fundo da sala, que agora podia ser vista a partir de pequenas lâmpadas azuladas abruptamente acendidas no seu contorno.

Irmão Uéllem abriu a porta para Catarina entrar. Pati os acompanhou com os olhos. Sua expressão não era de quem achava aquilo estranho ou extraordinário. Olhava apenas por obrigação, algo protocolar e descompromissado, enquanto a porta se fechava às costas deles.

4

Dentro da sala havia um jogo de luzes de várias cores, conectadas a um programa que as impedia de se acenderem ao mesmo tempo. Organizava-se uma troca alternada para que um jogo se estabelecesse e determinasse por um pequeno período a tonalidade do ambiente. Ou seja: a iluminação estava sempre se alterando, conforme o conjunto a ser aceso, para induzir que ali nada se repetia. A intenção, pelo que entendi, era passar a quem estava na sala a ideia de um ambiente se renovando eternamente.

Irmão Uéllem parou diante de Catarina, que o contemplou com ar de respeito.

Ele disse:

– Irmã Catarina, para que este ato tenha o efeito desejado, você precisa se autodesincumbir de todos os conceitos, preconceitos, convenções do mundo terreno, ideias preconcebidas, e aceitar os termos protocolados pelo Criador das Alturas para os atos de sua salvação. Você concorda, irmã?

Catarina movimentou a cabeça positivamente.

– Diga que sim, irmã. O Senhor das Alturas criou o verbo, no início dos dias, e dele precisa para bem compreender as nossas aflições e as respostas às suas bondades.

– Sim! – disse Catarina, com empolgação.

Irmão Uéllem, então, pôs a mão espalmada na testa dela e iniciou uma prece. Ao contrário de quando estavam juntos à mesa, há poucos minutos, aquilo agora não era feito aos sussurros. Irmão Uéllem gritava a plenos pulmões. As palavras eram incompreensíveis. Ou, se compreensíveis, sem tradução para qualquer linguagem conhecida.

Terminada a litania, ele abriu os braços, olhou para cima, para uma imagem de luz pintada no teto, segurou os ombros de Catarina e a chacoalhou. Ela soltou o corpo e seus braços se jogavam para os lados, sem forças para resistir, enquanto o irmão a chacoalhava. Ele parou de súbito, contornou-a da direita para a esquerda, ensaiando um tipo estranho de marcha, e se postou novamente diante dela.

E disse:

– Agora se dispa, irmã Catarina. Para que o Senhor das Alturas, sem os obstáculos mundanos da hipocrisia, possa operar na sua plenitude e poder.

Catarina levou as mãos às costas e baixou o zíper do vestido. A seguir, encolheu os ombros, e o vestido caiu ao natural, com certa lentidão, até seus pés. Soltou os braços e parou, olhando para ele, como se desse o trabalho por acabado.

Irmão mirou-a com autoridade, visivelmente contrariado.

– O Pai das Alturas disse: dispa-se, irmã Catarina.

Ela enfiou os polegares por baixo das alças laterais da calcinha e baixou-a. Baixou-a com a espontaneidade da mulher que se sente sozinha no box do banheiro, longe da civilização, pronta para entrar no banho.

Abaixou-se para tirar os sapatos de salto, mas ele protestou.

– Os sapatos podem ficar, irmã Catarina.

E apontou para uma pequena mesa, a um canto, no fundo da sala, onde havia uma jarra com água e um jogo alternado de luzes, que no seu conteúdo também reproduzia um efeito extraordinário.

– Pegue aquela jarra, por favor, irmã Catarina. E traga-a até mim.

Nua e de sapatos de salto, Catarina caminhou até a mesa e trouxe a jarra. É desnecessário dizer que Irmão a acompanhou com os olhos bem abertos, sem piscar uma única vez, durante o seu trajeto de ida e volta.

Ele pegou a jarra e despejou o seu conteúdo sobre a cabeça dela, devagar, contemplando cada fio de água deslizando lento sobre sua pele arrepiada. Terminado o conteúdo, Irmão pediu a ela que devolvesse a jarra ao lugar onde estava. Enquanto caminhava, raios de luz se refletiam em cores diversas nas partes de seu corpo que ficaram molhadas.

Quando ela voltou, ele iniciou nova prece, agora aos sussurros, e começou a massageá-la com o conteúdo de um dos vidros que pegara anteriormente da sua gaveta, o que parecia ser um sabonete líquido, pois fazia espuma ao ser friccionado. A luz ambiente também refletia tonalidades múltiplas na superfície das pequenas bolhas ali se formando.

No momento em que a mão de Uéllem chegou ao sexo de Catarina, ela estremeceu. Soltou um gemido de prazer, um gemido alto, que o entusiasmou. Ela, no entanto, segurou a mão dele com firmeza. Ele levantou a voz e o volume da prece e – em meio às palavras incompreensíveis saídas de sua boca – pude identificar estas: "É O Pai das Alturas que está ordenando, irmã Catarina. Não caia em pecado. Não o contrarie, te peço em nome do Senhor".

Ela não se deixou levar. Empurrou as mãos dele de volta e se agachou para pegar o vestido.

– Ainda não me sinto segura fazendo isso, Irmão Uéllem.

– Mas irmã Catarina! O Pai das Alturas tem a palavra...

Ela começou a se vestir, decidida a não voltar atrás.

– Sim, ele tem a palavra. E Sua palavra foi ouvida e por mim será respeitada.

Irmão Uéllem estava perplexo. A frustração lhe vertia junto à umidade dos olhos molhados.

– Mas então...

Catarina vestiu a calcinha.

– Acontece que não me sinto segura, Irmão Uéllem. Se é para ser feito, e vai ser feito, prefiro que seja bem-feito. Em lugar confortável e apropriado, que não me deixe com essa sensação ruim de que estou traindo alguém.

– Se for para atender a um pedido do Senhor, não é traição, irmã Catarina.

– Mas é assim que estou me sentindo, uma traidora! E isso é o que importa, Irmão.

– Espere mais um pouco, pelo menos, para que as palavras do Pai Maior das Alturas operem na tua consciência, irmã.

– As palavras do Senhor já operaram, Irmão. Acredite em mim. Quero esse livramento a todo custo. O único obstáculo é o aspecto deste lugar de outro mundo. Essas luzes todas me oprimem. Esta luz me desconcentra. Tira-me a consciência da entrega, da plenitude que a situação exige para eu alcançar o prazer supremo de um livramento absoluto.

Irmão Uéllem fazia um ar interrogativo. A boca entreaberta, bebia com sede cada palavra saída dos lábios grossos e úmidos dela.

Catarina disse:

– A sessão de livramento está mantida, irmão. Só não quero que seja aqui. Para efeitos práticos, ao Senhor das Alturas isso fará alguma diferença, me diz?

Ele abriu um sorriso, seguido de um suspiro que demorou a chegar ao fim. Alívio e felicidade foi o que se pôde ler no seu semblante quando Catarina terminou de falar e ajustou a calcinha por baixo do vestido. Não seria ali, naquele momento. Mas seria. Ou ele não se chamaria mais Irmão Uéllem da Luz.

No início desta segunda parte, argumentei que o caráter eficiente desse novo formato, de não fazer uma narrativa simultânea aos fatos, é que poderei ir editando o conteúdo, deixando de fora os detalhes repetitivos e desnecessários. Sobre o capítulo anterior, me dispenso de narrar os fatos sucedidos, detalhe por detalhe. O certo é que, uma semana depois, o Irmão Uéllem da Luz tinha virado hambúrguer e já estava sendo devorado, com prazer e volúpia, por uma inocente, mas gulosa, parcela da cidade.

Quanto ao abastecimento da hamburgueria, Catarina e José levavam aqueles dias com tranquilidade. Doutor Borjão rendera algo que eles nem imaginaram. Só foram perceber o tamanho da caça na hora da desossa. Valia quase por dois. E o Irmão Uéllem, embora seu porte não fosse de um viking, tinha um corpo espaçoso e bem alimentado. Rendeu um volume satisfatório de bifes, e Catarina e José, por uns dias, puderam se dedicar aos estudos na faculdade, sem atropelos e pressão de Manoel, que a cada encontro com ela exultava por causa da procura crescente pelo Bocadão da Rainha.

Atribuía o sucesso a ela. E não se cansava de assediá-la, agora sem escrúpulos, cada vez de forma mais objetiva. Quando ela se afastava na direção de casa, após se declarar perdidamente apaixonado, saía à porta e dizia, diante de uma plateia de motoboys também admiradores da mulher:

– Essa tá no papo, sangue bom! É só uma questão de tempo!

Um fato extraordinário, no entanto, botou tudo de pernas para o ar, de uma hora para outra. Fatinha da Hora, uma das mais conhecidas e cultuadas *influencers* do país, que tem um canal no YouTube com mais de vinte milhões de seguidores e mora em Porto Alegre, encarregou-se de jogar o Bocadão da Rainha na sanha desembestada do mundo virtual. Pediu um para experimentar. Gostou tanto que comeu uma peça inteira, durante uma *live* com os recebidos da semana, saboreando cada mordida com espanto e admiração.

As vendas dispararam de forma absurda de uma hora para outra.

Fatinha da Hora fez o Bocadão da Rainha penetrar no público jovem. No público adulto, a avalanche se seguiu uma semana depois. Um reverenciado jornalista esportivo da cidade, sabedor do sucesso, foi até a hamburgueria e, em troca de comentários abonadores em um programa do qual participava, comeu e botou a família para comer sem pagar. No dia seguinte, durante o programa, de debates sobre futebol, em momento de grande audiência, após um clube gaúcho cair para a segunda divisão, ele recomendou inúmeras vezes as qualidades da hamburgueria

Boca Santa. Ressaltou que o proprietário era um grande amigo seu, amigo de infância, o querido Manoelão, e o Bocadão da Rainha estava bombando, era só no que se falava na cidade e o que se pedia na casa. Tratava-se de uma iguaria exclusivíssima, que tinha como base uma receita da bisavó de Manoelão, acrescida de um toque contemporâneo de finos e selecionados temperos.

Foi o que bastou para que o chamado efeito manada penetrasse na rua Fernando Machado, igual a um tropel desatinado ladeira abaixo, após o estouro de um rojão. A população queria comer o Bocadão da Rainha. E no fim da ladeira, para onde disparava a animalada, estavam Catarina e José.

Imediatamente, eles começaram a se exaurir para suprir a demanda. Por um lado, eram pressionados por Manoel. Pelo outro, pela certeza de que estavam nas mãos dos espíritos sofredores de Catarina e José, de cujas garras e sombras circulando ostensivamente pela casa se sentiam impedidos de se livrar. Havia noites que demoravam a dormir, ou acordavam de madrugada, sobressaltados por barulho de passos e de objetos caindo no solo, com ostensiva repetição.

⊶▬

A polícia, por sua vez, ainda perdida nas investigações sobre Alex e Doutor Borjão, ia ter em seguida uma terceira vítima para se preocupar. Não havia chegado à delegacia a notícia sobre o desaparecimento de irmão Uéllem da Luz, mas chegaria em breve.

O delegado Deunísio Gonzagas se reuniu com a equipe para estudar os dois casos. Uma dificuldade considerável era o sistema de câmeras de segurança. O delegado, em certo momento, chegou a se exaltar:

– Isso até parece um complô contra a polícia, gente.

No interior da boate, não havia sequer uma câmera instalada. E essa ausência, o delegado teve de admitir, tinha um sentido lógico. Instalar câmeras no interior de uma casa de encontros, onde quem a frequenta não quer ser visto, é um convite à bancarrota. Nenhum homem minimamente temente a Deus, e de bem, sai de casa à noite, deixa a esposa na praia com os filhos e vai se divertir com garotas de programa em um lugar eivado de câmeras para flagrá-lo em grave delito.

Aliás, disse o dono da boate ao delegado, esse era o grande apelo da Anjos&Demônios. Permitir aos seus clientes o máximo de privacidade, até onde isso fosse possível em um lugar aberto ao público.

Na frente da boate, a mesma coisa, ausência total de filmagens. Portanto, com essa tecnologia, que no mundo inteiro muito tem ajudado na elucidação de crimes, a polícia não poderia contar.

Mas algum avanço já era possível perceber nas investigações. Chamou a atenção do delegado Deunísio, por exemplo, a proximidade dos dois locais que indicavam os últimos movimentos de ambos antes do desaparecimento. A rua Demétrio Ribeiro, onde o carro de Alex fora abandonado, e a esquina da Borges de Medeiros com a Fernando Machado, onde o doutor Borjão havia sido deixado pelo taxista.

O fato curioso, no entanto, que já havia intrigado os investigadores e se confirmava, eram as câmeras. De todas as requisitadas e analisadas nas adjacências, apenas uma funcionava, a que confirmava a versão do taxista, mesmo assim por pouco tempo.

Doutor Borjão realmente descera no local indicado. Ele sai do táxi, caminha uns três metros na calçada e vem ao encontro dele, saído da parte obscura de um prédio, um vulto esbranquiçado, igual ao que muitas vezes acontece em uma foto, quando a luz estoura e indefine um ponto específico. Não havia qualquer possibilidade de identificação, apenas algo fantasmagórico se movimentando na direção de Doutor Borjão. Pelas imagens, pode-se perceber que não há, entre ambos, no momento em que se encontram, qualquer gesto hostil. Pelo contrário. Trocam beijos nas faces, Doutor Borjão parece sorridente. E tudo se apaga de súbito.

– É uma mulher – disse a inspetora Tamir, sentada à esquerda do delegado Deunísio, na sala de reuniões.

– Claro, a troca de beijos...

– Sim. E não tenho mais dúvidas de que é a mesma pessoa que esteve com Alex na boate – disse a inspetora.

O delegado concordou.

– Ela circula ali naquela área. Cidade Baixa, entre Demétrio e Fernando Machado.

Fez a fita rodar novamente.

– Vocês perceberam que, após os beijinhos de cumprimentos, se viram de costas para a Borges?

O delegado apontou para o monitor.

– E ele dá o primeiro passo na direção do Alto da Bronze. Isso já é uma boa pista que reduz o nosso espaço de ação. É da Borges para o poente.

Nesse momento, chegou à delegacia a informação sobre um novo desaparecimento. De um sujeito chamado Irmão Uéllem da Luz, ligado ao ocultismo e pregador de uma igreja da avenida Farrapos. Quando não estava na igreja, atendia a clientes particulares num sobrado do Centro Histórico. A denúncia havia sido feita pela esposa do desaparecido. Ele não fora à igreja ministrar o culto, na noite anterior, como sempre fazia, nem voltara para casa.

– Em que rua do Centro Histórico fica o sobrado? – quis saber o delegado.

– Bento Martins, entre a Duque e a Fernando Machado.

O delegado trocou um olhar com a inspetora Tamir.

– Mais um – ela disse.

– O que mais? – perguntou o delegado ao inspetor que trouxe a notícia.

– Temos um novo depoimento, de um dos garçons da Anjos&Demônios. No primeiro, ele achou que aquilo não era relevante, mas depois pensou melhor e voltou.

– Ótimo. Gosto quando um depoente pensa melhor e volta.

– Tem um detalhe considerável. Ele disse que enquanto deixava na mesa os pedidos de Alex, naquela noite, ouviu ele pronunciar um nome, que devia ser o da mulher com quem falava. "Raíssa Cat", ele parecia estar repetindo. Ela sorria. Olhou para ele e disse: "Cat de gata mesmo". Nesse ponto, o garçom terminou de servir a mesa e saiu.

O delegado jogou os braços para trás da cabeça, espreguiçou-se e fez uma série de alongamentos laterais para aliviar a tensão dos ombros.

A inspetora Tamir disse:

– Já temos o gênero, o nome e a área de atuação.

– Se com tudo isso dando sopa, minha querida, eu não botar as mãos nessa tal Raíssa Cat, não me chamo Deunísio Gonzagas.

O delegado terminou os alongamentos e pediu ao inspetor Paulo Eduardo um rastreamento total nas câmeras de segurança da área. Alguma tinha que estar funcionando. Não era possível que tivesse havido um apagão total em toda a área de interesse da polícia.

– Só se for coisa do demônio das trevas.

Pediu ainda ao inspetor que convocasse a mulher do tal irmão para uma conversa, e também que fizesse uma diligência imediata no seu consultório, recolhendo tudo o que fosse considerado importante.

Depois de fazer novos alongamentos com os braços, reclamou da fome. Uma fome de cão. Não se sentia em condições de esperar a hora de ir para casa jantar. Ia pedir um hambúrguer desses da moda, sobre o qual estava todo mundo falando.

Perguntou se alguém mais queria. Todos responderam *sim*. Menos a inspetora Tamir. Ia para casa tomar um bom banho, pedir um combinado de sushimi, botar um bolachão de John Coltrane no toca-discos e relaxar, acompanhada de uma boa cerveja artesanal, gelada no ponto, como ela gostava.

E todos fizeram ao mesmo tempo:

– Huuummmmmm...

6

Pela sua condição social, o quarto desaparecido não chamou atenção logo de início. Mas, quando o delegado Deunísio ligou o caso com os outros três, houve uma comoção entre os policiais. Comoção e raiva. Não seria mais admissível deixar aquilo continuar.

Era noite quando Manoel ligou para Catarina. Disse que, naquele ritmo, tinha hambúrgueres no máximo para um dia. Para dar conta da demanda, estava até pensando em abrir um novo espaço, num shopping da cidade. A hora era de aproveitar. O cavalo passava encilhado na sua frente, e ele não queria perder essa oportunidade de ouro, que talvez fosse a única de sua vida.

Catarina comentou o fato com José. Da parte deles, se continuassem assim, não teriam condições de seguir com o trabalho. Agora não era questão de querer ou não. Mesmo se tivessem em casa um criatório de homens, seria impossível abastecer a hamburgueria com aquelas exigências do mercado. Precisavam pensar em uma solução.

Outras *influencers*, menos famosas, mas também muito influentes, comiam o Bocadão da Rainha e o recomendavam aos seguidores. O #bocadaodarainha esteve no topo dos assuntos mais comentados das redes sociais no Brasil durante dois dias.

Catarina e José chegaram a uma conclusão de consenso, pelo menos em curto prazo. O negócio seria atender aos pedidos de Manoel, do jeito que desse. Até porque, justiça seja feita, o trato fechado com ele estava sendo respeitado à risca. E se sentiam satisfeitos com os lucros advindos da parceria. Logo poderiam realizar sonhos maiores.

Pressionados pela alta demanda, com Manoel mandando WhatsApp a toda hora, os dois saíram para a rua, sem um plano definido. Notaram um grande movimento na frente da hamburgueria, isso já era normal, e tomaram o caminho oposto, na direção do Alto da Bronze.

Catarina queria evitar conversas com Manoel.

Pensaram em ir a algum dos botecos do Centro Histórico, no entorno da Casa de Cultura Mario Quintana, com grande movimento à noite, onde homens, que saem do trabalho cansados, vão beber no fim do expediente, passam da hora e acabam ficando até mais tarde, perambulando pela área, transformando-se em presas fáceis para as intenções deles.

Catarina vestia-se para a noite, bonita e atraente. Carros que passavam na rua às vezes buzinavam, homens botavam a cabeça para fora e a elogiavam com palavras baixas, outros insultavam José, chamando-o de corno e veado.

Uma viatura da polícia passou por eles, em baixa velocidade. Os policiais olharam para a calçada, sem que o carro diminuísse a marcha. Pareciam alheios ao cenário externo, não deram sinal ou fizeram qualquer comentário sobre os dois, embora estivessem bem à vista, em local iluminado. Nas paredes por onde passavam, uma sombra estranha à posição deles na calçada parecia segui-los com insistência. O carro da polícia sumiu na direção da Duque de Caxias sem importuná-los, como se os seus ocupantes não os tivessem visto. Ou como se eles fossem dois seres invisíveis circulando por uma terra inóspita e fria.

Foram até a volta do gasômetro, sem encontrarem nenhuma vítima em potencial. Foi quando perceberam um grupo de moradores de rua, junto a um pilar de sustentação do antigo trilho do Aeromóvel. Bebiam cachaça e cantavam uma música nativa. A presença deles chamou a atenção de Catarina, porque um dos moradores, tão logo a viu, se levantou como se a reconhecesse e quisesse lhe dizer alguma coisa.

O homem estava malvestido e sujo. Ao chegar mais perto, Catarina percebeu a intenção dele de abordá-la. E pediu para José disfarçar, seguir caminhando, e deixasse o resto com ela. Quando o outro se aproximou e ela pôde vê-lo de perto, sentiu a excitação lhe roçar a pele, por baixo do vestido. Estendeu a mão para ele, jogando os cabelos para trás, num movimento simultâneo e sensual.

– Estou precisando de um favor urgente, amore – disse ela, e fez um olhar que era para ser de aflição, mas era de excitação mesmo.

O homem falava balbuciado.

– Diga lá, eu tô aqui pra isso tudo. Eu ajudo, sim, me diz... eu ajudo pra tudo.

Ela apontou para José.

– Aquele homem lá fez programa comigo e não pagou.

– Filho da puta!

– Isso mesmo, filho da puta!

– Quer que a gente dê um... pau... do trato nele?

O homem olhou na direção das outras pessoas que estavam com ele, entre elas três mulheres e duas crianças.

Ela meneou a cabeça, seus cabelos se agitaram com o vento e, pela cara, eu diria que o homem sentiu o cheiro de perfume emanado deles, algo que talvez não sentisse havia anos. A excitação também lhe percorreu a epiderme, entre a roupa suja e o corpo escamado pela falta de banho.

Ela disse:

– Se não pagou, tudo bem, bola pra frente, a fila anda. – Apontou novamente para José, parado a uma distância de cinquenta metros. – Acontece que ele ficou me ameaçando. Ficou irritado porque eu disse que ia entregar ele à polícia. É um batedor de carteira aqui da região. Está armado com uma faca.

O homem olhou para José com raiva.

– Filho da puta! A gente dá um jeito nele agora, já, boneca. Pode deixar que a gente dá, de vereda.

– Não precisa, deixa ele. Eu só queria que você me acompanhasse até minha casa. Fica perto. Contigo do meu lado, duvido que ele queira se meter.

– E não vai mesmo – disse o homem, encarando José a distância. – E não vai mesmo. Se ele tem faca, eu também tenho. De vereda, a gente dá.

Levantou a camisa para Catarina ver. Ele sorriu, e ela pôde ver também seus dentes pequenos como os de um rato, amarelos e despedaçados. Ela retribuiu o sorriso. Estendeu-lhe a mão e caminharam até a ponta da Duque de Caxias, por onde subiram, na direção do Alto da Bronze, como dois namorados aproveitando a noite, agradável àquela hora para passeios e caminhadas ao léu.

Estava descoberta uma fonte que seria inesgotável, a considerar o número de moradores de rua da cidade. Foi assim que pensaram Catarina e José, no desjejum da manhã do dia seguinte, depois de algumas horas de trabalho duro no porão.

Ela sentava-se à mesa, ele em pé diante do fogão preparando o acompanhamento para o café. Quando ele largou na frente dela um prato de tapioca vegana e lhe serviu um copo de suco natural, ela o segurou na mão.

– Por que você demorou tanto?

José não entendeu a pergunta de imediato.

– Como assim?

Ela tomou um gole de suco, ainda segurando-o.

– Ontem, você demorou...

Ele riu, agora entendendo o que ela falava.

– Vi que você estava gostando...

– Mas não precisava ter dado tempo para o doido gozar.

– Como é que eu ia saber?

Catarina largou a mão dele. Tomou mais suco e cortou um pedaço de tapioca.

– Eu também... – ela disse, sem levantar os olhos. Depois o mirou de baixo para cima, provocante, com o rosto na mesma posição. – Azar o teu, que não baixou o machado na hora certa.

– Esse já está morto, não tem mais como contar vantagem.

José desligou a chama do fogão e puxou-a para si. Beijou-a, ela correspondeu, afastaram pratos e xícaras para um lado e transaram ali mesmo, sobre a mesa da cozinha. Atrás deles, dois vultos se projetavam na parede oposta à janela, um parecendo segurar algo na mão, e a impressão foi de que vieram até ali para assistirem ao ato e verem se estava tudo bem com Catarina e José, se estavam seguindo suas ordens e não pensavam em voltar atrás no que tinham começado.

7

Em duas semanas, foram oito moradores de rua e três mendigos assassinados na região do Centro Histórico. A maioria deles nas ruas paralelas e transversais à ponta da Duque, no Alto da Bronze, e Usina do Gasômetro. O último fora atraído a partir do viaduto da Borges de Medeiros. E foi por intermédio desse que a polícia tomou conhecimento dos casos anteriores.

Tratava-se de um morador de rua recente. Perdera o emprego, fora despejado com a família e, sem alternativas, acabou indo se abrigar no viaduto, como tantos outros na cidade, naqueles tempos de fome e desemprego. Estava ali com a mulher e filhos. Depois de dois dias desaparecido, a mulher foi à polícia fazer a denúncia. A notícia circulante, de acordo com outros moradores, era de que ele teria saído com uma prostituta, mulher bonita e atraente, sem nunca mais ter sido visto.

Antes, a notícia havia circulado apenas entre os moradores, e não demorou para os outros casos de desaparecimento virem à tona. Tão logo soube do caso, o delegado Deunísio Gonzagas juntou todas as pontas.

A pressão sobre a polícia era grande. As dificuldades de investigação aumentavam a cada hora. Principalmente com as câmeras de segurança, que, naquele período, pareciam obedecer a algo orquestrado. Quando a elas recorriam os policiais, nenhuma estava funcionando no período necessário. O delegado havia se convencido de que se tratava de um complô contra eles. Não podia ser outra coisa, alguém estava orquestrando a situação. Impossível que nenhuma câmera funcionasse quando necessário, no momento crucial do crime. Uma ou duas, vá lá. Mas todas?

– Quem, quem estaria por trás, alguém que quer me derrubar? Mas precisava matar todo esse monte de gente só pra isso? – era o que repetia o delegado, entre a raiva e o desapontamento, ninguém capaz de lhe dar uma resposta satisfatória.

A hamburgueria vivia um ambiente eufórico. Manoel já tomava providências para abrir sua primeira filial, num shopping da cidade. Havia recebido uma entrega de bifes de Catarina e saíra feliz da conversa mantida com ela. Catarina baixara bem a guarda, como nunca, diante das reiteradas cantadas dele. Prometeu que ia pensar com carinho num dia e hora para eles conversarem mais à vontade – para usar uma expressão do próprio Manoel.

Quando ela se afastava e ele repetia o bordão de sempre – essa tá na mão –, um entregador se aproximou dele. Era o Genteboa, o mais antigo e experiente da casa. Pediu um particular, e isso intrigou Manoel.

Foram para o fundo do cômodo.

Genteboa disse:

– Manô, tem uma coisa que está me intrigando nisso tudo.

Manoel cerrou o cenho. Olhou por cima do ombro do outro para conferir o movimento no balcão.

– O que, sangue bom?

– A gente fica aqui na frente o dia inteiro. Agora aumentou o serviço, claro. Mas sempre tem um de nós por aqui. E nós nunca vimos entrar nada naquela casa. Só sai bife de lá, cara! Não entra nada!

Manoel desdenhou do entregador. Estava muito eufórico para aquele tipo de conversa, que ele chamou de papo de detetive amador.

– Para com isso, sangue bom! Por que essas minhocas na cabeça agora, quando estamos ganhando dinheiro feito pastor amigo do mito?

– Não é minhoca, cara. Olha só a quantidade de bifes que essa mina anda trazendo pra cá. De algum lugar tem que sair a carne. E nunca vimos nada ser descarregado lá.

Manoel pensou um pouco. O movimento começava a aumentar, vários pedidos chegando, outros saindo para entrega.

Dois homens conversavam em voz alta às costas dele. Um deles, os bíceps estourando por baixo do algodão preto da camiseta, dizia:

– Olha aqui, Silveira! Eu não escondo. Sou um antivax convicto, meu. Eu não sei do que isso é feito, ninguém me explica com segurança. O meu corpo é sagrado. Não sei o que tem dentro dessa vacina. – Bateu no próprio peito musculoso. – E no meu corpo não vou permitir que entrem essas coisas que não sei o que são e de onde vêm, tá ligado?

O outro que estava com ele ia concordando com a cabeça.

Um atendente largou sobre o balcão um prato com dois Bocadões da Rainha em cima. O musculoso antivax se adiantou, pegou o seu, deu uma grande mordida e pediu um refri bem gelado.

Manoel e Genteboa continuavam a conversa.

– Para com essa bobagem, Genteboa. Isso é problema dela, de onde tira a carne. A minha parte é vender, e isso a gente tá fazendo bem. É a nossa competência. Não reclama, sangue bom. Vamos à luta, tem pedido chegando, e quem abre a boca come mosca. Vamo lá, tá ligado?

Genteboa não estava satisfeito com a conversa.

E disse:

– Tudo bem. Mas que essa história não tá bem contada, não tá.

Manoel se virava para voltar ao balcão, mas voltou atrás.

– Então me diz: o que você acha que tem lá, sangue bom?

O outro ficou pensativo.

– Não sei, mas é tudo muito estranho.

– Estranho, se você quiser, estranho até o cavalo do bandido é... fica olhando um dia inteiro que você vai achar um monte de coisa estranha nele. – Deu um tapa no ombro de Genteboa. – Vamo trabalhar, sangue bom. E ganhar o nosso dinheiro honestamente, que é isso o que interessa pra gente.

Nesse mesmo dia, na faculdade, Catarina foi abordada por Pati. Estava preocupada com o desaparecimento de Irmão Uéllem da Luz. Relatou a Catarina todos os fatos, as circunstâncias do desaparecimento, as diligências policiais, o apagamento das imagens de câmeras de segurança e, o mais intrigante, as condições em que fora encontrado o seu computador. Sem nada na memória. Na nuvem também não restou nada a partir de um período de dois meses até agora. Ou seja: seus apontamentos dos últimos dias estavam todos danificados.

– Alguém fez isso para apagar pistas – disse Pati.

– Huum, tem sentido – diz Catarina, com ar reflexivo no rosto.

– Você está acompanhando esse caso dos desaparecimentos de pessoas, agora de moradores de rua, no Centro Histórico?

Catarina respondeu de pronto:

– Não. Não é um assunto que me atrai.

– Impossível não saber, né, amiga! Está todo mundo falando, é notícia nacional. É ali, na região onde você mora. E entre os desaparecidos está uma pessoa das tuas relações.

– Das minhas relações? Menos, né, Pati. Fizemos uma consulta com ele. Mas daí a dizer que era das minhas relações pessoais tem um certo exagero, não te parece?

– Duas consultas. E no dia em que desapareceu, me ligou, todo animado, dizendo que ia te ver... para continuar o trabalho de livramento do teu corpo contra o casal de espíritos que estava te perturbando.

Catarina aparentava serenidade, como se estivesse mesmo alheia ao assunto. Por dentro, no entanto, tinha vontade, uma vontade que não sabia de onde vinha, de outro mundo, de esganar Pati ali mesmo com todas as suas forças. Mas manter a calma era o melhor a fazer. Foi o que fez.

E disse:

– Na verdade, aquela história de livramento era balela, ele queria mesmo era me comer.

– E comeu?

– Não, queridinha. Não comeu. Quando aquele cuzão estava indo eu já tinha voltado há dias.

– Então vocês não se encontraram?

– Não. Claro que não. Ele me ligou, querendo marcar a continuidade da sessão, mas eu caí fora.

– E aquele assunto dos espíritos, como foi resolvido?

– Da melhor forma possível.

– Como?

– Esquecendo.

– Eles nunca mais deram sinal?

– Não.

– Depois daquele dia, em que vocês foram para a sala de livramento, você nunca mais viu o Irmão?

Catarina encarou Pati, sem ser ostensiva ou dar sinais de hostilidade. Mas sem esconder seu desconforto com o rumo da conversa. Ao mesmo tempo, engoliu a raiva que começava a sentir por ela, sem entender de onde vinha.

– Patinha, isso aqui está parecendo um interrogatório policial...

– É que nós estivemos muito perto dele poucas horas antes de seu desaparecimento. Isso tem me tirado o sono. Éramos amigos, você sabe.

– Fique tranquila, amiga. Ele anda por aí... pela cidade. Vocês é que não veem. Logo reaparece.

Pati não estava satisfeita com a conversa.

– Lembra aquele dia, na aula de anatomia, quando o professor falou de um caso de canibalismo na cidade? Você estava dissecando um cadáver...

– Sim.

– Antes de a gente ir ao Irmão Uéllem, você também tocou no assunto. Disse que coisas estranhas estavam acontecendo na casa. Que estava com medo. Até foi por isso que a gente procurou o Irmão. Na segunda vez, ele disse que vocês estavam possuídos. Que eles queriam que vocês localizassem uma pessoa, em quem um espírito tinha reencarnado...

Catarina a interrompeu com uma gargalhada, outra vez acima do tom.

– Ai, Patinha. Você acreditou naquilo? Conversa dele pra me azarar, amiga.

– Não me pareceu e não está me parecendo que tenha sido por isso.

– Você está é com ciúmes que ele tenha dado em cima de mim. Só pode ser. Eu, hein!? Me inclui fora dessa, amiga.

Pati não entrou na provocação.

E disse:

– Eu fiz uma pesquisa. E descobri coisas. É muita história para parecer só uma mera coincidência.

Catarina tenta disfarçar o desconforto.

– Que bacana, Pati.

– E eu lembro da tua preocupação quando voltamos ao Irmão Uéllem. Quando ele falou da sessão de livramento, você disse que estava mesmo na hora de acabar com tudo aquilo. Ficou evidente que um casal de espíritos estava perturbando vocês. E que coisas estranhas estavam acontecendo. Isso você já havia dito na nossa primeira visita a ele. Visita feita a seu pedido, por sinal. Minha pesquisa está fechando com tudo.

– Isso é verdade, mas como te disse, está tudo resolvido.

Pati não se convenceu.

– Você permitiria que eu te fizesse uma visita?

Catarina riu.

– Claro, Patinha! Você até já esteve lá em casa mais de uma vez.

Tocou o sinal de fim do intervalo. E as duas, lado a lado, caminharam até o prédio da faculdade, em silêncio, cada uma pensando nos distintos lugares que aquela história poderia lhes reservar dali para a frente.

Catarina, ou quem quer que fosse pensando por seu intermédio naquele momento, achou que era a hora de tomar uma providência drástica em relação a Pati.

Genteboa olhou o telefone várias vezes depois que voltara da última entrega. Sua preocupação era com o passar das horas. Estava agoniado, a boca seca, as veias do pescoço ardendo. Sentia-se na sala de espera de um hospital, aguardando a definição de um assunto de real importância para seu futuro imediato, coisa de vida ou morte.

Cuidou quando Catarina saiu e dobrou a esquina, na rua Espírito Santo, seu trajeto costumeiro quando ia para a faculdade. Mas não estava ciente sobre José, se havia saído ou ficara em casa. E era essa a sua preocupação. Até que o viu atravessar o portão com uma mochila nas costas. Veio na direção da hamburgueria. Passou na frente e cumprimentou Manoel, que, depois de observá-lo passando, fez um sinal de chifre às suas costas, com os indicadores sobre a própria testa.

E disse:

– A tua hora vai chegar, corno manso!

Os outros motoboys riram, mas Genteboa ficou na dele, especulando sobre seu plano para dali a pouco. Esperou cinco minutos, que lhe pareceram uma hora, e disse a um dos colegas que precisava de um acessório para a moto, ia pegá-lo ali perto, na Washington Luiz, e voltaria em seguida. Para não ser visto, desceu a Espírito Santo, pegou a Demétrio Ribeiro, foi até a General Auto e voltou pela Fernando Machado. Não teve dificuldade para entrar no pátio da casa. Já estivera ali antes, estudando os detalhes de como fazê-lo.

Ao fundo, abriu um portão lateral, entre a parede esquerda e o prédio ao lado, e entrou no quintal, onde existia uma pequena horta de temperos e um jardim bem cuidado, com vários tipos de flores. Caminhou até o fundo, junto ao muro, e algo o deixou em alerta. Sobre a terra revirada, viu a ponta de uma cimentação. Não por coincidência, nas proximidades havia uma enxada. Começou a puxar a terra e apareceram várias cimentações recentes, uma ao lado da outra. Teve convicção sobre suas suspeitas. Algo de estranho acontecia ali.

Não podia se demorar. O próximo passo seria entrar na casa, o que fez sem esforço. Abriu a porta com uma chave mixa, que fora sua fiel ferramenta de trabalho antes de se tornar entregador de hambúrguer.

Entrou na cozinha. Sentiu um aroma agradável de temperos e de café recém-coado. O que lhe chamou a atenção tão logo esteve dentro da casa foi o seu aspecto organizado. Parecia tudo no devido lugar, arrumado com critério e bom gosto.

Circulou no ambiente sem achar nada de extraordinário, a não ser o cheiro agradável, a se repetir em todos os cômodos por onde passava. Até que chegou ao quartinho da escada. Em princípio, também não viu nada fora do comum. Olhou as paredes, o chão de madeira, a ausência de móveis.

O tapete de lã crua quase lhe passou despercebido. O que atraiu seu olhar, todavia, foi uma ponta fora do lugar, discretamente levantada. Empurrou-o com a ponta do pé e o sentiu pesado. Agachou-se e puxou-o para cima. Viu o tampo de madeira, e sua jugular tremeu, descontrolada. Havia ali uma entrada secreta para o porão. Não perdeu tempo para levantar a portinhola. Viu a escada e desceu imediatamente. Tão logo desceu o primeiro lance, sentiu algo como uma bofetada no rosto. Isso aconteceu ao aspirar pela primeira vez o ar infecto do novo ambiente.

A mudança no cheiro quase o derrubou de tão distinta. Era um cheiro de carniça, de algo podre que se comprime num ambiente fechado e procura uma brecha por onde escapar. E quando escapa, é como a explosão de uma bomba, promove um violento deslocamento de ar, que atinge diretamente os pulmões e a capacidade de respirar.

Genteboa tapou o nariz, mas não foi o suficiente. Desceu até o pavimento inferior. E o que viu foi algo terrivelmente mais forte que o cheiro a lhe estourar os pulmões e a lhe embrulhar o estômago: pedaços de gente caídos pelo chão, uma cabeça com as orelhas cortadas, a língua de fora e os dentes quebrados, ossos por toda a parte, restos de sangue coalhado sobre a mesa, crânios escapelados, um machado e ferramentas de corte cobertos com uma crosta amarronzada, sobre um banco de madeira.

As pernas de Genteboa amoleceram. Ele percebeu que ia cair e se agarrou na guarda de uma cadeira. Pensou em se sentar, mas viu que na cadeira havia um par de olhos extirpados e uma mão decepada. Olhou em volta e o ambiente era de terror. Deu um passo ao léu e sentiu algo balofo sob os pés. Ouviu um estouro monstruoso, seguido de um jato frio de podridão a lhe atingir as pernas. Era um monte de vísceras que acabavam de estourar por causa da pisada.

E tinha o cheiro, que o sufocava. Tentou gritar, mas a voz não saiu. Seus pulmões estavam pesados, como um bloco de cimento aferrado ao chão. Respirava com dificuldade, não conseguia se abastecer de oxigênio, a respiração ficava pela metade, sem chegar ao fim. Como se fosse o último fio de raciocínio a lhe restar incólume, pensou que devia sair dali o quanto antes e avisar a polícia. Correu para a escada. Ou pensou que correu. O certo é que quando conseguiu colocar o pé no primeiro lance, sabe-se lá quanto tempo depois, a tampa de madeira caiu. Ainda conseguiu chegar até o topo, forçou a abertura, mas parecia trancada por fora. Começou a gritar por socorro. Ou pensou em gritar. A realidade é que nada do que pensava em fazer parecia realmente acontecer. Afrouxou os joelhos e seu corpo amoleceu. Pensou que era a morte a lhe abraçar as pernas. Sua cabeça pesou. E os pulmões foram novamente invadidos pelo cheiro terrível de podridão de gente, agora mais forte e desumano. Se fosse mesmo a morte, torcia para que tudo acabasse de uma vez. Naquelas circunstâncias, a vida era um peso absurdo e sem propósito humano. Respirou fundo, e o ar infesto lhe subiu à cabeça e lhe dominou o cérebro, tirando-lhe os sentidos. E assim, sem sentidos, caiu e ficou, imobilizado pelo terror. Pelo desespero de não sentir mais forças nem lucidez para fugir.

Catarina e Pati passaram diante da hamburgueria, no fim da tarde. Manoel a saudou de trás do balcão, com a pose de conquistador costumeira. Ela retribuiu o cumprimento, mas não parou. Seguiu com Pati na direção da casa. Os motoboys se alvoroçavam cada vez que ela passava. E naquela tarde não foi diferente. Embora sem credenciais para competir com Catarina, Pati também era bonita, fato que aumentou o entusiasmo dos homens ao vê-las passar.

Manoel saiu à porta e repetiu, esfregando as mãos no avental:

– Essa não me escapa, sangue bom! Podem anotar aí no caderninho de vocês.

Foi aplaudido pelos motoboys, que já tratavam aquela relação como uma lenda urbana viva da cidade.

As duas entraram na casa pela porta dos fundos, como era o hábito entre Catarina e José. Ela percebeu a porta aberta, mas achou que fora ele quem se esquecera de fechá-la. Isso já havia ocorrido outras vezes, até fora motivo de repreensão por parte dela, era questão de segurança.

Assim que entraram, Catarina correu até as janelas para abri-las.

– Para o ar novo entrar – ela disse.

Pati aspirou o aroma agradável de temperos e ervas. Chegou a fazer um detalhado elogio. Adorava aquele cheiro gostoso, com base em ervas aromáticas e suas surpreendentes misturas.

Catarina terminou de abrir as janelas.

– São as misturas mil do Zezinho. Ele passa o dia inteiro testando *blends* em busca do tempero perfeito. Só pensa em uma coisa na vida: encontrar o tempero definitivo, aquele que servirá para todos os tipos de pratos, mas que se desdobra em características particulares e diferentes em cada um.

Pati ouvia Catarina ao mesmo tempo que seus olhos corriam de um lado a outro, perscrutando as entranhas da casa. Desde que chegara, segurava uma pequena cruz de duas barras horizontais, de madeira, pequena, que cabia quase inteira na mão.

– Você se importa de me mostrar todos os cômodos? – indagou.

Catarina se esforçava para criar um clima amigável entre ambas, com disposição para atender a todos os pedidos de Pati. Queria que a amiga saísse dali convicta de que a questão dos espíritos havia se resolvido e esquecesse as suspeitas de que Catarina pudesse saber do paradeiro de Irmão Uéllem da Luz. Ou, então, que nunca mais saísse, se fosse necessário, irremediavelmente necessário.

Entraram no quarto do casal, e o aroma não era menos intenso e estimulante. Pati segurava a cruz, agora sem se preocupar em ser vista por Catarina. Pegou-a pela base e a ergueu diante da cabeça, como para se proteger de algo maléfico vindo em sentido contrário.

Catarina a viu naquela posição e começou a rir.

– Patinha! Não vai me dizer que você acredita nessas coisas! O que é essa cruz, me diz!?

Pati olhou o cenário por trás da cruz, sem se importar com o ceticismo da amiga. Segurou-a como quem segura o celular em posição vertical para gravar os detalhes de um ambiente.

– Essa é uma Cruz de Caravaca. A original foi feita de um pedaço da cruz de Cristo. Apareceu na Espanha e fez muitos milagres. Hoje, é um amuleto usado como símbolo de poder e proteção contra o demônio. Foi da minha bisa, que era bruxa. Ela protege e ajuda a derrotar os maus espíritos.

Catarina ainda ria.

– Credo, Patinha! Nunca pensei que você fosse chegada nessas crenças obscuras...

– Sabe sim – disse Pati. – Tanto sabe que me pediu para te levar no Irmão Uéllem.

Catarina não contestou, mas pareceu irritada.

Pati se virou para sair do quarto.

– Aqui está pronto.

Foram para a sala de estar.

E Pati:

– Você se importa se a gente percorrer os outros cômodos? Será para o seu bem. Se algum espírito maligno estiver aqui, não resistirá ao poder da Cruz de Caravaca.

– Claro, claro! Tenho todo o interesse em me ver livre de coisas ruins. – E piscou o olho. – Quem não?

Foram percorrendo os cômodos. Catarina na frente, mostrando um por um. Pati repetia o mesmo ritual com a cruz por onde passava.

– Pronto – disse Catarina ao saírem da despensa, onde José guardava temperos e livros de culinária, e onde a suavidade do aroma era um convite aberto para ficar mais tempo.

Súbito, Patinha parou no corredor.

– E aquela porta?

Apontou para o quartinho.

– Não tem nada dentro.

– Não interessa. Um espírito maligno pode estar ali sem a gente ver.

– Até perdemos a chave.

Dizendo isso, Catarina foi se interpondo entre Pati e a porta, como para impedi-la de entrar. Esse gesto bastou para Pati ficar curiosa e insistir em entrar.

– Deixa eu ver. Sai da frente, por favor.

Catarina resistiu.

Pati avançou na direção dela, com a cruz estendida na altura da testa.

Catarina achou melhor ceder. Para evitar um conflito que pudesse acirrar uma disputa entre ambas e tornar a situação perigosa, que chamasse a atenção de alguém na rua, por exemplo. Deu espaço e a deixou passar. Uma sombra pesada passou entre ambas, sem elas perceberem.

– Está bem. Entre e faça seu exorcismo nutella pelo tempo que for preciso.

A porta foi aberta pela própria Pati, que olhou o cômodo vazio de fora a fora, sem notar nada de anormal. Foi de um canto a outro, passou por cima do tapete e seguia na direção da porta, para ir embora, quando ouviu batidas fortes a seus pés. De onde estava, Catarina também percebeu as batidas. Sentiu os pelos do corpo se tocarem contra o tecido da roupa, algo ligado a uma fonte de eletricidade a lhe dar sucessivas descargas dos pés à cabeça.

Pati se agachou para ouvir, Catarina avançou sobre ela. A sombra voltou a se movimentar no ambiente, com rapidez, sobre o chão e a parede. A fisionomia de Catarina mudara com rapidez enquanto Pati se agachava para ouvir as batidas. Foi direto aos cabelos da outra, para retirá-la dali antes que fosse tarde. As batidas continuaram. Mas Pati reagiu com rapidez e empurrou Catarina com força, com o joelho, jogando-a contra a parede. Ela bateu a nuca e perdeu parcialmente a consciência. Revirava os olhos e tentava balbuciar algo.

Pati aproveitou, puxou o tapete e viu a portinhola de madeira. As batidas pelo lado de dentro aumentaram. Pati ergueu a tampa. Ouviu gemidos de quem sente muita dor. Logo a mão de uma pessoa saiu pelo vão e se agarrou no assoalho, tentando subir.

– Socorro – disse alguém, com um fio de voz de quem agoniza.

Um bafo de podridão subiu até o aposento. Quando Pati ia puxar a portinhola para socorrer quem estava lá dentro, Catarina pulou com os dois pés em cima da tampa, esmagando a mão contra a tábua do assoalho. Ouviu-se um grito descomunal, seguido do som de algo caindo no solo. A mão teve algumas contrações e parou de se mexer. Pati se ergueu e viu o rosto transtornado de Catarina. Que não era Catarina, parecia outra pessoa, saída de algum lugar mais terrível que o inferno em chamas queimando pessoas vivas.

Catarina gritou:

– Então é você! É você quem eu procuro! É você, demônio das trevas! Estava tão perto e eu não percebi! Delegado de merda! Você vai morrer duas vezes! Vai morrer duas vezes!

Com a cruz na mão estendida, Pati enfrentou Catarina. Empurrou-a contra a parede e correu para fora.

Catarina foi atrás com um machado na mão, que não se sabe de onde saiu.

– Agora você não escapa! Vai pagar pelo que nos fez, bandido dos infernos! Vai morrer duas vezes!

E quase alcançou Pati antes de saírem para o pátio. Mas Pati era mais ligeira e se distanciou um pouco. Catarina corria, fora de si. Se tentasse o golpe daquela distância, certamente erraria. Preferiu se aproximar um pouco mais. Esse tempo permitiu a Pati contornar a casa e chegar ao portão da rua. Vendo que Catarina se aproximava, começou a gritar.

– Socorro! Ela é uma assassina! Um monstro! Socorro! Socorro! Assassina!

Conseguiu ultrapassar o portão. Catarina veio atrás e jogou o machado. Acertou Pati no ombro. Com o golpe, ela caiu no meio da rua. Um carro que passava não teve tempo de frear e a atropelou.

Catarina gritava:

– Você mentiu! Nunca fizemos linguiça de gente! Mentiu, mentiu! Mentirosa!

Na rua, o motorista parou e desceu imediatamente para prestar socorro. Os ocupantes dos outros carros vindos atrás desceram também. Transeuntes pararam para ajudar. Catarina correu para dentro de casa com o machado.

Em frente à hamburgueria, os motoboys se agitaram olhando na direção do acidente. Manoel saiu para olhar. Os carros começaram a buzinar sem saber por que o trânsito fora trancado lá na frente.

Manoel perguntou o que houve.

– Um atropelamento – respondeu um motoboy.

O volume de buzinas aumentava, alguns fregueses saíram em direção à calçada com hambúrgueres na mão para ver o que havia acontecido.

Manoel ficou preocupado. O atropelamento fora bem na frente da casa de Catarina. Voltou para dentro e tirou o avental da cintura.

Não demorou para um carro da polícia chegar, andando na contramão pela Fernando Machado. Uma equipe de salvamento veio da mesma direção para socorrer Pati. O delegado Deunísio chegou em seguida. Outros policiais foram aparecendo. Saíram das várias viaturas estacionadas em cima da calçada com os giroflex ligados. Logo foi estendido um cordão de isolamento para evitar confusão com os curiosos.

O delegado Deunísio acompanhou os primeiros socorros prestados a Pati. Ela ainda segurava a Cruz de Caravaca na mão direita. Ele disse alguma coisa aos socorristas e caminhou para o portão. Os policiais que chegaram primeiro já estavam lá dentro.

Ouviram-se alguns gritos vindos do interior da casa, seguidos de uma agitação de policiais perto das janelas abertas.

Os curiosos chegaram em bandos. E começaram a se inquietar, forçando o cordão. De dentro da casa correu um inspetor pedindo calma. Ficou ali, para evitar que alguém ultrapassasse o cordão.

Em algum momento ouviu-se mais gritos dentro da casa. Era Catarina desafiando a polícia e negando-se a se entregar. O delegado Deunísio tentava se aproximar, mas ela se mantinha agarrada ao machado e ameaçava jogá-lo contra eles.

No meio da rua, os paramédicos cuidavam de Pati. Puseram-na sobre uma maca e a levavam para dentro da ambulância. Pelo tipo de reação, ainda estava viva. Enquanto dois paramédicos conduziam a maca, um terceiro segurava uma máscara de oxigênio em seu rosto. Entraram com pressa, como se não pudessem perder um segundo de tempo. A ambulância arrancou com a sirene aberta na direção do Alto da Bronze.

Outro policial saiu da casa e foi até aquele que cuidava do cordão de isolamento. Entre os curiosos que chegaram, estavam Manoel e os motoboys da hamburgueria. O policial, que saiu da casa, vinha branco como papel. Segurava-se para não vomitar, com a mão apertada em volta do pescoço.

Manoel se acercou deles para saber o que se passava. Ouviu, então, do policial recém-chegado, que disse ao colega:

– Coisa horrível, meu! Eu nunca tinha visto coisa igual!

Dizendo isso, soltou uma golfada de vômito, que acertou os pés de Manoel. Limpou a boca com a manga da camisa e continuou, ameaçando vomitar de novo:

– Tem um depósito de cadáveres lá dentro, meu! Nunca vi coisa parecida, nem em filme de terror. Uns esqueletos descarnados ainda inteiros. Podem ser desses moradores de rua desaparecidos. Nunca vi coisa igual.

Manoel ouviu aquilo e afrouxou as pernas. Segurou-se no motoboy ao lado, sem condições de raciocinar. Sem reação, com as capacidades do cérebro paralisadas, ainda ouviu mais alguns detalhes macabros trazidos pelo policial. E só então algo lancinante lhe rompeu as comportas da consciência e ele conseguiu reagir. O impulso da reação saiu de dentro de si como um ferro afiado lhe cortando as vísceras, com uma força medonha e sem controle, sem controle como a golfada de vômito que jorrou da boca do policial segundos antes, sobre seus pés.

Ele gritou:

– Eu comi carne de gente, meu Deus! Socorro! Socorro! Eu comi carne de gente. Socorro, meu Deus do céu! O Genteboa tinha razão, meu Deus!

E começou a rasgar a própria roupa. Metia as unhas na pele, dilacerando-a como para retirar de dentro de si o que ali ainda restasse de todos os hambúrgueres que havia comido desde que ficara sócio de Catarina, especialmente do último, devorado havia poucos minutos, acompanhado de um latão de cerveja gelada.

Em seguida, em outro impulso descontrolado, desandou a correr rua afora, na direção do rio, aos gritos:

– Salve-me, meu Deus! Eu comi carne de gente! Eu comi carne de gente! Salve-me, meu Deus do céu!

Correu desesperado, igual a um louco que fugiu do hospício; foi ao fim da rua, subiu até a Duque de Caxias, sempre correndo e aos gritos, em um desespero comovente e definitivo; atravessou a avenida, ao lado da Usina do Gasômetro, e se jogou no rio. Correu enquanto dava pé. Depois nadou até onde pôde. E sumiu, engolido pela água.

Pati não morreu. Ficou vários dias em coma, e foi se recuperando aos poucos. No início, não se lembrava do que acontecera. Depois de um tempo de fisioterapia, começou aos poucos a falar e a fazer algumas referências ao caso. Mas nem chegou a saber o que Catarina e José faziam com os restos dos cadáveres encontrados na casa, se chegara a comer ou não hambúrguer com bife feito da carne de seu amigo, o Irmão Uéllem da Luz.

Coisas anormais e definitivas aconteceram enquanto ela estivera em coma.

Catarina e José foram presos.

José não ofereceu qualquer dificuldade. Parecia estar esperando por aquilo, e até se sentiu aliviado. Ao contrário de Catarina, que enfrentou a equipe do delegado Deunísio Gonzagas com inconformismo e violência. Não entendia o porquê da prisão, de a polícia estar ali, na sua casa, com todo aquele aparato para prendê-la, se não havia cometido crime algum.

Acuada em um canto da sala de entrada para o porão, ameaçava com o machado todos os que se aproximavam. Um dos inspetores da equipe do delegado Deunísio chegou a ser atingido na cabeça, esteve entre a vida e a morte durante semanas e ainda não recuperou a memória, nem a totalidade dos movimentos do corpo.

Mas essa reação de ataque ao inspetor foi o que permitiu a captura de Catarina. Falseou um pé e deixou escapar o machado da mão. Depois de imobilizada, esperneou igual a uma fera capturada na selva, que se debate e resiste até as forças se exaurirem na sua própria natureza. Foi levada à prisão desacordada. Uma equipe médica chamada para atendê-la achou melhor sedá-la, para evitar que se machucasse e até mesmo se suicidasse.

Quando acordou, manteve o mesmo espírito violento e agressivo. Entre suas poucas palavras, agora dizia que era, sim, uma assassina. Não apenas havia matado todos aqueles homens com as próprias mãos como os transformara em deliciosas carnes para hambúrguer. E soltava uma gargalhada, como se aquilo fosse uma vingança pela condição de presa. Nesses momentos, é preciso lembrar, o delegado Deunísio Gonzagas tinha engulhos no estômago e algumas vezes saía da sala para vomitar.

A notícia ganhou repercussão internacional.

Porto Alegre era tratada como a cidade canibal do planeta.

Uma semana depois da prisão dos criminosos, começou um surto de suicídios e loucura. Sem mais nem menos, uma pessoa se jogava do último andar de um edifício, se atirava na frente de um ônibus ou nos trilhos do trem. A ponte móvel do Guaíba era um dos lugares mais procurados. Só em um dia, 52 pessoas pularam para a água e morreram. Algumas de mãos dadas e pedindo perdão a Deus por terem comido carne de seu semelhante. O local precisou ser isolado para conter o surto.

Os que tinham porte de arma simplesmente se fechavam no quarto ou no escritório e metiam uma bala na cabeça. Outros iam à cozinha, pegavam uma faca de mesa, passavam na jugular e caíam ali mesmo, em meio ao jorro do sangue quente batendo contra as paredes.

A cidade estava virada em um pandemônio.

Aqueles que não se matavam tinham surtos psicóticos, como o de Manoel no dia da descoberta do porão. Corriam rua afora, desesperados, arrancando as próprias roupas, metendo as unhas na pele como se quisessem arrancá-la à força e assim pudessem se purificar, extirpar uma culpa que não era deles.

A situação tomou uma proporção insustentável. O assunto chegou aqui, à cúpula da Organização NUSE. E começava a prejudicar nosso trabalho de escravização no Brasil. Embora a maioria da população estivesse com implantes de chips e antenas, se tornou impossível manter o controle. Era só daquele assunto que se ocupavam a imprensa, a grande mídia, as redes sociais e as chamadas forças vivas da comunidade, políticas, civis e eclesiásticas, assim como a população da cidade, do estado e do país.

Ao mesmo tempo, vigaristas viam no caos uma oportunidade para aplicar golpes e ganhar dinheiro. Um grupo de pastores liderados pelo bispo Ediraltino Canassanta, um dos mais influentes na política do país, com programas na televisão e redes sociais, prometia aos fiéis que, se passassem seus bens a eles, Jesus os livraria do mortal pecado do canibalismo. E ainda lhes reservaria o reino dos céus, como recompensa pelo sacrifício feito durante a involuntária, mas demoníaca, ingestão.

E na esteira do descontrole, nossos opositores ganhavam terreno na guerra de informações falsas dirigidas contra a NUSE e seu projeto. Noite e dia, batiam na tecla de que aquele caso de canibalismo era culpa nossa, do globalismo e de seus praticantes socialistas, e que dali para a frente as coisas só iriam piorar se homens de bem não pegassem nas armas e não se unissem para evitar a continuação da nossa senda impatriótica de infâmias e horrores.

Vejam esta mensagem, que circulou pelas redes, em especial em grupos de WhatsApp e Telegram, enquanto o assunto esteve em pauta:

SENHORES PAIS, CUIDEM DOS SEUS FILHOS.

VOCÊS SÃO OS ÚNICOS RESPONSÁVEIS POR ELES, E É PELO BEM DELES QUE VOCÊS PRECISAM CONSIDERAR ESTA INFORMAÇÃO:

O DOUTOR KAMIDAL ARGHOUTE GALLIAMBERT, CONCEITUADO MÉDICO COM FORMAÇÃO NO EXTERIOR E CURSOS DE DOUTORADO EM HARVARD, SORBONNE E UNIVERSIDADES DA INGLATERRA E ALEMANHA, TEM PROVAS DE QUE A VACINA CONTRA A COVID, ALÉM DE OUTROS MALES COMPROVADOS, DESPERTA NOS HUMANOS IRREVERSÍVEIS TENDÊNCIAS AO CANIBALISMO.

PRINCIPALMENTE NAS CRIANÇAS.

JÁ FORAM REGISTRADOS INÚMEROS CASOS PELO MUNDO, EM ESPECAL EM PAÍSES GLOBALISTAS, DE CRIANÇAS QUE DEPOIS DE VACINADAS COMERAM PEDAÇOS DE COLEGUINHAS NA ESCOLA.

MAS ISSO A GRANDE MÍDIA NÃO MOSTRA.

DIGA NÃO À VACINA.

AINDA É TEMPO DE VOCÊ TIRAR SEU FILHO DAS POR-
TAS DO INFERNO.

QUERIDOS PAIS PATRIOTAS, NÃO CRIEM DENTRO DAS
SUAS PRÓPRIAS CASAS OS CORVOS QUE VÃO LHES COMER
OS OLHOS NO FUTURO.

NÃO À VACINA.

NÃO AO CANIBALISMO!

NÃO AO GLOBALISMO!

[FOTO DE UMA CRIANÇA COMENDO O PÉ DE OUTRA
CRIANÇA]

Como, por estranha coincidência, eu havia acompanhado o caso desde o início, com todos os seus detalhes e nuances, me ofereci para ajudar a NUSE.

Em uma rápida reunião, ficou decidido que era preciso intervir imediatamente, sob o risco de perdermos o controle do Brasil, cuja situação já era delicada antes da tragédia. Fizemos estudos urgentes na cidade. A prioridade era uma solução imediata para a questão dos suicídios e dos casos de loucura, cada vez mais numerosos, e, por consequência, para a disseminação de *fake news* sobre vacina/canibalismo.

Então, meio por acaso, tive uma espécie de epifania, daquelas que só acontecem uma vez na vida e nunca mais. Lembrei-me de um poeta lírico da Grécia Antiga, chamado Píndaro, que escreveu um épico para afirmar que o homem é um ser que esquece.

Foi a chama tempestiva para iluminar as trevas. O esquecimento, também conhecido como memória curta, essa característica inerente ao ser humano, que serve tanto para o bem quanto para o mal, chegou como a salvação suprema.

Um grupo de cientistas eméritos e de notório saber convocado às pressas pela NUSE não demorou a encontrar a panaceia para os nossos males. Decidiu despejar no rio, no lugar onde é captada a água que abastece a cidade, um produto que acabava de ser descoberto pela ciência e precisava dos primeiros testes para ser liberado.

Esse produto se forma a partir da combinação de resíduos saídos da superfície do nióbio, durante sua primeira lavagem, que, em contato com o estanho bruto, libera uma pesada substância capaz de provocar no cérebro humano o esquecimento de lembranças traumáticas ocorridas dentro de um espaço de tempo de um mês a um ano. Essa substância ataca diretamente as microestruturas dinâmicas que transmitem informações entre os neurônios, as chamadas sinapses. Ao natural, o cérebro humano já faz uma seleção entre as sinapses que devem ser reforçadas e as desprezadas, visando a futuras lembranças ou à ausência delas. No caso do caldo de nióbio com estanho, esse processo pode ser dirigido às sinapses que se quer apagar, aquelas ainda em transição ou as já armazenadas nos neurônios, gerando o esquecimento daquilo que é preciso ser esquecido.

Porto Alegre seria também uma ótima oportunidade para testá-lo pela primeira vez em seres humanos. E assim fizemos, em nome da preservação da nossa causa, da ciência, do globalismo socialista e da dominação do planeta.

O resultado foi positivo e imediato. Um gole d'água, a ingestão de um alimento, de uma xícara de café, ou até mesmo depois de um contato com a pele, durante o banho – o simples ato de lavar as mãos bastava para ser iniciado um processo irreversível de apagamento cerebral. O Bocadão da Rainha e Os Canibais da Rua do Arvoredo jamais seriam lembrados.

E adeus, criancinhas canibais.

Hoje, quando alguém de fora chega à cidade e toca no assunto, a resposta é de bazófia e riso. E o forasteiro passa por idiota por acreditar em algo tão delirante. Assim, a verdade foi sendo apagada, aos poucos e em definitivo.

Não se fala mais no assunto. E, com a ajuda de uma campanha negacionista maciça articulada pela NUSE nas redes sociais, apoiada por uma rede internacional de hambúrgueres, a história dos canibais de Porto Alegre entrou, aos poucos, no rol das *fake news* absurdas que circulam diariamente nas redes sociais, Brasil afora.

Afinal, negacionismo com negacionismo se apaga.

O caso foi motivo de galhofa, menos para Catarina. Não que o caldo grosso de nióbio com estanho bruto a tenha poupado dos seus efeitos. Era seu corpo que continuava possuído pelo espírito da primeira Catarina, que a deixava blindada contra influências terrenas, mesmo as químicas sobre o seu corpo físico.

Quanto à sua situação jurídica e à de José, após o esquecimento coletivo, nenhuma autoridade conseguia explicar o que ambos faziam na prisão, do que eram acusados, que crimes cometeram. Havia nos corredores da delegacia uma vaga e absurda informação sobre uma acusação de assassinatos em série, que ninguém sabia de onde vinha e qual o objetivo.

Um tal delegado Deunísio Gonzagas, responsável pelas primeiras investigações sobre os motivos de ambos estarem presos, havia sumido da noite para o dia e levado consigo todo o material de um suposto inquérito sobre o casal. As poucas informações disponíveis eram de que havia se suicidado com um tiro na cabeça. Ou que se jogara no rio, sabe-se lá por que cargas d'água. A verdade é que ninguém mais obteve notícias suas, nem se o tal inquérito contra Catarina e José realmente existiu.

Depois de um ano de idas e vindas processuais, levando-se em conta o ótimo comportamento dos dois, só restou serem soltos, por falta de uma acusação formal.

E por não representarem perigo à sociedade.

A casa da Rua do Arvoredo havia sido destruída enquanto a cidade ainda se lembrava do caso, durante o surto de suicídios e de loucura. O mesmo ocorreu com a hamburgueria, posta no chão pela fúria da população descontrolada.

Decorrido um tempo, em uma noite de neblina, se ainda houvesse um mínimo de memória entre os porto-alegrenses, não passaria insuspeito um elegante casal percorrendo as ruas do Centro Histórico em serena tranquilidade. Iam de mãos dadas, cúmplices e apaixonados. Passaram pela praça da Matriz, desceram a rua Espírito Santo, dobraram à direita na Fernando Machado e se aproximaram daquilo que antes fora a casa onde moraram havia um ano.

Para encobrir os escombros, a prefeitura erguera junto à calçada um grande muro de concreto. Ambos pararam na frente e olharam para cima, como se alguém no outro lado os esperasse. Não demorou e dois braços assustadoramente longos e brancos baixaram até Catarina e a ajudaram a subir. Depois José foi puxado também. Tão logo desapareceram, ouviu-se um grito medonho, que ecoou no meio da noite, seguido de gargalhadas de quem se regozija com a alegria causada por um reencontro de velhos amigos.

Como sou um fiel soldado da NUSE, uma criatura impatriótica que nasceu para ser contraditória e para fazer o mal, semeando verdades e mentiras entre os homens de bem, ainda que eu resista à ideia de minar a paz de quem gentilmente me segue, vou dizer apenas o seguinte: se Porto Alegre se esqueceu de ter praticado canibalismo e trata o caso como uma mera *fake news*, não está livre de, em pouco tempo, se tornar pela terceira vez uma cidade canibal. Assim como existe para os humanos a lei do esquecimento, existe também, no Universo maior, a lei do Eterno Retorno.

BY:
Zìnìdt Otten
Fiel soldado da NUSE – Nuvem Superior Eterna
Globalista a serviço de Sua Majestade, O Mal
FROM NUSE — Janeiro de 2022

Livros para mudar o mundo. O seu mundo.

Para conhecer os nossos próximos lançamentos
e títulos disponíveis, acesse:

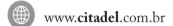 www.**citadel**.com.br

 /**citadeleditora**

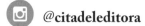 @**citadeleditora**

 @**citadeleditora**

 Citadel – Grupo Editorial

Para mais informações ou dúvidas sobre a obra,
entre em contato conosco por e-mail:

 contato@**citadel**.com.br